TARÔ BÍBLICO

Dados Internacionais de Catalogação na Publicação (CIP)
(Câmara Brasileira do Livro, SP, Brasil)

Alvers, Vilson
   Tarô bíblico / Vilson alvers. —São Paulo: Ícone, 1993.

   ISBN 85-274-0274-2

   1. Ciências ocultas 2. Tarô I. Título

93-3109   CDD-133.32424

Índices para catálogo sistemático:

1. Tarô: Artes divinatórias 133.32424

Vilson Alvers

TARÔ BÍBLICO

2ª EDIÇÃO

Ícone editora

© Copyright 2005.
Ícone Editora Ltda.

Produção e Capa
Anízio de Oliveira

Ilustração da Capa e Lâminas
Alessandra Mattos

Revisão
Adalberto de Oliveira Couto

Todos os direitos reservados pela
ÍCONE EDITORA LTDA.
Rua Anhanguera, 56 – Barra Funda
CEP 01135-000 – São Paulo – SP
Tel./Fax.: (11) 3392-7770
www.iconelivraria.com.br
e-mail: iconevendas@yahoo.com.br
editora@editoraicone.com.br

SUMÁRIO

ALGUNS FATOS CONTIDOS NA BÍBLIA E QUE PODEMOS AFIRMAR SEREM PURAS ADIVINHAÇÕES

É sabido que Miriam, irmã de Moisés, era uma perfeita sensitiva. Ela desenvolveu este método, através dos conhecimentos que obteve dos sacerdotes do Egito, e depois junto a Moisés no deserto, faria uso dos mesmos, para ajudar seu povo a encontrar o seu caminho.

Jó, um visionário, recebia orientações do céu para inúmeros dos problemas de seu povo; ele ensinava que os dons de sensibilidade deveriam ser usados para o seu bem e o bem de outros.

Lot, em suas meditações, chegava mesmo a receber pessoas de outras dimensões que vinham em seu auxílio e muito o ajudavam em seus conhecimentos.

João, que transpôs os limites da paranormalidade, vislumbrou um mundo totalmente diferente do nosso, e muito temos a aprender com estas suas visões, pois muitas coisas erradas podemos evitar se seguirmos os seus conselhos.

Daniel, outro profeta que tinha o dom de interpretar sonhos, com a máxima exatidão, foi chamado pelo rei Nabucodonosor para que interpretasse um estranho sonho que tivera e que por mais que tentasse, não conseguia chegar a uma conclusão. Daniel, usando de sua sensibilidade, o interpretou na íntegra e deu boas orientações ao rei, que muito o agradeceu.

Jeremias, outro profeta, também muito trabalhou por reformas dentro da religião, sendo um iluminado, tinha conhecimentos e sabia distinguir o bem e o mal. Em seu tempo, toda ordem de heresia era praticada, mas

Jeremias com bom senso soube se conduzir muito bem, orientando seus discípulos no caminho do bem.

Para se recorrer a um método adivinhatório: cartomancia, Tarô, I Ching, geomancia ou outros, não basta saber usar as cartas, dados, varetas ou seja qual for o método usado para interpretação dos mesmos, é necessário que a pessoa tenha sensibilidade e trabalhe com o máximo amor com tudo o que está desenvolvendo.

Caro leitor, este Tarô chega até você como uma forma de familiarizar o leitor com a Bíblia, livro este dos mais antigos da humanidade e que é muito aceito pelo nosso povo.

O Tarô Bíblico forma um elo mágico entre vários personagens da Bíblia e a pessoa que o está manuseando, que estavam num estágio da sua história semelhante a nossa de hoje em dia, ou seja, procurando respostas para muitos de seus problemas e procurando transmitir ao povo um pouco de seus conhecimentos.

O leitor pode vir a discordar perguntando-se se naquela época o mundo era bem diferente do atual, os problemas também seriam diferentes; mas não é assim, pois o desejo de bem-estar e o amor ao próximo ainda se encontram dentro do homem neste presente momento.

A Bíblia nos traz relatos de fatos e conhecimentos, que todo o ser humano gostaria de conhecer e vir um dia a praticar e estas cartas são uma forma de o leitor entrar em contato com fatos que já aconteceram.

Salomão foi um outro personagem importantíssimo de nossa história, pois era conhecido como o mais sábio entre todos os homens. Sua riqueza nunca foi superada, mas é o seu autoconhecimento que nos fascina, pois não se sabe de ninguém que houvesse sido mais sábio do que ele.

Mas temos também várias pessoas dentro de nossa história que não faziam o bem, mas que tinham o mesmo poder de prever e de fazer coisas fantásticas. Dentro do reino do faraó é onde se encontrava o maior número destas pessoas. Tinham eles tanto poder e tanto conhecimento, que muitas vezes certas pessoas iluminadas e tidas a fazer o bem, eram por eles derrotadas e muitas vezes mortas.

Não aconselhamos nossos leitores a fazerem mau uso de seus poderes na adivinhação, deverão os mesmos procurar fazer uma perfeita interpretação e dar os melhores conselhos a quem vier pedir socorro.

COMO SE DEVE PROCEDER À ADIVINHAÇÃO ATRAVÉS DAS CARTAS DO TARÔ BÍBLICO

Apresentamos ao leitor uma forma mais fácil de interpretação do Tarô. Este método é feito através das páginas da Bíblia e de seus personagens que muito têm a ver conosco.

Antes de mais nada vamos esclarecer o que significa adivinhar. Esta palavra vem do latim *divinare* que quer dizer a arte de prever o futuro usado por muitos sensitivos.

Lendo a Bíblia, o leitor nota em várias passagens de sua história muitos relatos de profecias e adivinhações. Pessoas como Moisés, que tendo sido educado pelos egípcios recebeu destes todos os conhecimentos sobre a arte da magia.

Deparamos com Moisés junto ao faraó usando de seus poderes e conhecimentos para poder libertar seu povo do cativeiro.

Mas não era só Moisés que possuía estes conhecimentos e poderes, notamos que os sacerdotes do faraó também o possuíam, motivo pelo qual Moisés tinha de usar de toda a astúcia para poder se sair melhor.

Todos nós temos um pouco desta sensibilidade, deste sexto sentido que, entre outras coisas, permite que possamos prever um pouco do futuro. Muitas vezes sentimos que algo está por acontecer ou que algum aviso está para nos ser transmitido. Passado alguns dias, aquele fato que era apenas intuição torna-se para nós realidade. É sabido que estes fatos aqui no Brasil já não nos assustam, pois sendo este um país tão místico é natural que os mesmos aconteçam.

ARCANOS MAIORES

O MAGO

A carta do Mago nos mostra um senhor forte, que olha para o horizonte e contempla o longo caminho que tem pela frente. Seu nome é Moisés.

Sua fisionomia é de compenetração, sabendo dos inúmeros obstáculos que irá se defrontar em sua longa caminhada.

Ele sabe que onde está, apesar da escravidão em que vive o seu povo, é um lugar seguro, não faltando comida nem água. Atrás das portas do palácio do faraó logo se descortina o tenebroso deserto. Como fazer para levar o povo deste lugar para um outro ainda desconhecido, que apenas o Deus do seu interior o havia deslumbrado.

Mas ele em pé aceita os obstáculos que por certeza haverão de vir, tenta encorajar os que os seguem, tamanha é a certeza que brota de dentro de si.

Sabemos que se trata de um verdadeiro mago e o será logo mais adiante, no meio de sua caminhada, quando ele fará uso desses meios.

Sua visão é futurista e cheia de confiança, como só tende a acontecer a poucos, que sabendo de um ideal, embora consciente de que muitos serão contra os seus propósitos, segue com uma fé inabalável.

A terra que busca é desconhecida, muitos obstáculos se interporão em seu caminho, mas sua paixão interior fala mais alto, fazendo com que nada possa forçá-lo a desistir da sua meta.

Mais tarde, já em pleno deserto, fará uso de seus dotes de magia, tendo como símbolo o seu famoso caduceu, que consistia em duas serpentes de bronze entrelaçadas;

com isto ele iria anular todas as investidas de seu inimigo faraó contra si e seu povo. Bastava um simples olhar para este caduceu, para que qualquer doente ficasse curado na mesma hora, nada sendo impossível para quem o olhasse.

Seu nome Moisés, que significa salvo das águas, pois sua verdadeira mãe o jogou num rio e ele foi salvo pela rainha egípcia, que o adotou como seu filho.

Quando o Arcano do Mago aparece num jogo ele tem a nos dizer o seguinte: Ele aponta para o potencial criativo que todos nós temos e diz que novas perspectivas podem surgir em nossa vida, basta que para isto demos vazão aos nossos anseios interiores. É um momento de grande energia e emoções incontidas, com as quais devemos seguir em frente, sem pensar se as mesmas darão certo ou não, pois o caminho é longo, mas as oportunidades que advirão são imensas.

A SACERDOTISA

O Arcano da Sacerdotisa nos mostra uma senhora de fortes dons espirituais e é simbolizada por Miriam, irmã de Moisés e que com ele resolveu também deixar o Egito.  Assim como seu irmão Moisés, ela desenvolveu esses dons enquanto se encontrava no palácio, e sempre os punha em prática, embora muitos a condenassem.

Ela vem neste arcano representar a outra polaridade de Moisés, que sabemos ser necessário, pois embora apareça em segundo plano, sua presença também foi de grande importância para o povo que estava só no deserto.

O homem de então não admitia que a mulher pudesse ter também poderes de mediunidade, tinha a mulher como alguém inferior e por isto seus dotes espirituais foram por vezes ignorados, mas é sabido que ela era uma grande intermediária entre as forças espirituais e seu povo.

Enquanto Moisés agia em frente à multidão que o seguia atentamente, Miriam ficava em segundo plano, para mais tarde passar a seu irmão tudo o que tinha visto e previsto. Sua imagem é a da que acompanhava e servia a Moisés, com total desprendimento de seus dotes no palácio, no qual ela era princesa.

Quando o Arcano da Sacerdotisa aparece num jogo ele tem a nos dizer o seguinte: Forças ocultas estão em seu caminho, sua mente está um pouco conturbada, deverá ouvir e seguir o conselho de pessoas de mais experiência que você.

Deve seguir a sua intuição, seus sonhos serão realizados, és uma pessoa muito sonhadora.

Cuidado com maus pensamentos que fazem de você.

A IMPERATRIZ

Esta carta é simbolizada por Maria, mãe de Jesus, que vem representar a maternidade. Sua presença é radiante, é a personificação da fecundidade universal.

É simbolizada também pela Lua, ou seja, aquela que reflete algo radiante dentro de si. Seu semblante representa a germinação, a colheita de algo muito especial, que está dentro de nós mesmos.

Ela representa a colheita de nossos anseios mais íntimos, como a boa semente que jogada em solo fértil dará bons frutos.

A Imperatriz simboliza também a segurança, pois sob a sua proteção nada devemos temer, pois ela é a personificação que no futuro tudo dará bons resultados.

Ela representa os laços que nos ligam a bens materiais e vem nos dizer para que passemos a amar mais os prazeres que a vida nos oferece, que passemos a nos dedicar mais aos outros, e a encarar a vida com mais entusiasmo. É o tipo da pessoa que sabe esperar o tempo próprio para tudo, pois sabe o tempo de plantar e de colher. Ela sabe esperar com tranqüilidade e calma todos os aspectos do tempo, não apressando nada em que não esteja no seu exato momento.

Seu simbolismo é mais no plano material; ela traz segurança e prosperidade e cria um mundo de harmonia em torno de si.

Quando o Arcano da Imperatriz surge num jogo ele tem a nos dizer o seguinte: Deve pensar mais nos bens materiais, em realizar algo que ainda se encontra em projeto, deve dar vazão a todos os seus ideais.

Significa também um casamento ou o nascimento de um filho, sendo que esta criança terá dotes elevados.

O IMPERADOR

O Arcano do Imperador nos mostra Salomão, senhor de toda a riqueza e de todo conhecimento. Ele é o pai em quem devemos nos espelhar, pois soube como ninguém unir a riqueza de bens materiais com bens espirituais.

Ele está sentado em seu trono e traz em suas mãos o símbolo do poder. Ele é o próprio símbolo da paternidade, alguém em quem podemos confiar.

Sua riqueza foi imensurável, por ninguém igualada, com uma diferença que o destacou dos demais: é que apesar dos bens materiais ele não ficou cego pelo poder, sabendo como ninguém aplicar a justiça quando esta era necessária.

Ele é a própria imagem da experiência, na pessoa a quem devemos seguir, ele simboliza nossos ideais, aquilo que devemos seguir, confiantes do pleno êxito, pois seus padrões de conduta são um exemplo para todos nós.

Sua sabedoria transcende a tudo, nunca soubemos de alguém, que seja superior em seu modo de pensar e julgar qualquer assunto do que Salomão.

Sua presença simboliza o poder e a riqueza, algo estável que devemos seguir plenamente.

Quando o Arcano do Imperador surge num jogo ele tem a nos dizer o seguinte: Chegou o momento de fazermos alguma coisa em nossa vida, tudo o que intentarmos, de agora em diante, terá bons resultados.

Significa também que uma pessoa de dotes elevados surgirá em sua vida e irá modificá-la completamente.

Indica também casamento com alguém de boa situação financeira e de bom caráter.

O PAPA

O Arcano do Papa é representado pelo apóstolo Lucas, que teve sua presença marcada pelo interesse em cura do corpo.

Ao lermos o Novo Testamento, notamos que o apóstolo Lucas atem-se aos problemas emocionais das pessoas, a ponto de sofrer com elas o mesmo.

Sua preocupação primordial com a cura física é nos conduzir com algo que transcenda ao material. É a fonte de onde parte o conhecimento de assuntos elevados. Ele achava que para iniciarmos uma caminhada espiritual tínhamos, como o Mestre, de começar com o batismo, que significa a água viva.

Sua preocupação é a de fazer com que as pessoas enxerguem o Deus interno que existe dentro de cada um de nós. Aquele algo que nos faz a ligação entre o céu e a terra.

O Arcano do Papa simboliza aquela pessoa que ainda não encontrou o Superior, significa o homem que, em sua busca incessante da espiritualidade, luta com afinco para atingir a iluminação.

Este arcano simboliza alguém que está muito preocupado com a dor alheia, com a falta de conhecimento dos bens elevados, é o próprio Lucas maravilhado ao ver Lázaro saindo do túmulo, completamente são.

Quando o Arcano do Papa aparece num jogo ele tem a nos dizer o seguinte: O consulente está em busca de conhecimentos elevados, que dêem respostas aos seus por quês. A pessoa está insatisfeita com o seu desenvolvimento espiritual. O Papa pode surgir na forma de um médico que irá pôr fim ao seu sofrimento.

Pode ser indício de um bom casamento, com alguém de certa experiência na vida.

OS ENAMORADOS

O Arcano dos Enamorados nos é representado pelo apóstolo Felipe, que retrata uma pessoa que sentia dificuldades na hora de fazer uma escolha.

Felipe, em suas divagações pela vida, relutou um pouco na hora de aceitar o convite feito pelo Mestre, sabia que isto iria lhe proporcionar certas instabilidades em sua vida, que de certa forma o atemorizava.

Mas em determinados momentos de nossa vida somos impelidos a optar por alguma coisa, mesmo que para isso tenhamos de matar outra coisa. Felipe, que possuía um certo bem-estar na vida, estava acostumado àquele modo de viver, no que se referia à religião, achava que tudo era assim mesmo e que nunca seria capaz de uma reviravolta em sua vida.

Certo dia eis que chega o Mestre e lhe mostra um novo caminho. Felipe confuso não sabe o que fazer, teme deixar para trás o que já é velho e arcaico, mas algo dentro de si, como que a pesar pela sua indecisão o aconselha que o melhor caminho é o de seguir o Mestre, e ele o segue deste momento em diante.

É notório verificarmos, no quadro da Santa Ceia, a figura de Felipe procurando se esconder, mostrando só a cabeça, como a não querer assumir responsabilidades.

Quando o Arcano dos Enamorados aparece num jogo ele tem a nos dizer o seguinte: Um momento de escolha surgiu em sua vida, terá de optar por alguma coisa ou entre dois amores, a escolha é difícil, deve confiar em seu próprio íntimo.

Sugere, também, o difícil momento de julgarmos entre dois amores.

Possibilidade do namorado ou cônjuge não ser a pessoa de quem realmente gostamos.

O CARRO

O Arcano do Carro nos é representado por José, pai na terra do Mestre e a quem coube conduzir os passos do mesmo desde o princípio de sua vida.

Este arcano nos é mostrado como alguém que, tendo a sua frente dois caminhos a seguir, tem de optar apenas por um, fazendo a devida escolha.

José, mesmo antes do nascimento do Mestre, teve de aceitar a virgindade de sua esposa, mostrada em sonho.

Após o nascimento do Mestre ele o acompanhou em todos os momentos de sua vida, teve de orientá-lo quanto à sua educação, quanto ao seu modo de viver.

Logo após o seu nascimento, José tem um aviso que o menino corre perigo e lá vai ele pelo caminho do Egito, opção que fez também em vista de um sonho que tivera.

Este arcano simboliza a necessidade de se seguir um caminho, enfrentando os obstáculos que possam surgir pela frente.

Este arcano indica que temos de lutar contra nós próprios para vencermos nossas indecisões. Teremos de tomar um novo direcionamento em nossa vida.

Quando o Arcano do Carro aparece num jogo ele tem a nos dizer o seguinte: Você terá de enfrentar um novo modo de vida. Muitos impulsos estão por se manifestar em você.

Mudança de emprego ou de atividade profissional.

Conhecerá alguém de modo aventureiro, que o induzirá a segui-lo.

A FORÇA

O Arcano da Força nos mostra um senhor de uma força descomunal, tentando derrubar duas colunas de um templo, como que para provar sua força.

Este arcano é simbolizado por Sansão, conhecido por sua força e coragem, que em vista destes atributos era por vezes odiado por muita gente.

Este arcano nos traz a consciência de que devemos conter a força que trazemos dentro de nós, sabendo como direcioná-la melhor em nosso próprio proveito.

Seu simbolismo vem para nos dizer que tenhamos mais confiança em nos próprios, verificando em nosso interior toda a possibilidade de progresso e de como adquirirmos confiança em nossa vida.

Mas se esta força não for bem dirigida, pode ser abatida por alguém de muita astúcia e maldade. No caso de Sansão ele foi enganado por uma simples mulher, que aproveitando de sua bondade, no momento em que ele dormia, cortou-lhe os cabelos, que era de onde partia sua força. Devemos confiar nossos projetos a pessoas de total confiança, para que não venhamos nos arrepender amanhã.

Isto não quer dizer apenas a força física, mas significa, também, a força do nosso caráter e o desejo em nosso interior de fazer alguma mudança em nossa vida.

Quando o Arcano da Força aparece num jogo ele tem a nos dizer que: Uma situação de confronto está acontecendo em sua vida, não vá conduzi-la com ódio e sem analisar bem a situação.

Todos os seus empreendimentos adquirirão a partir deste momento um novo impulso, tudo agora é alegria.

Conhecerá alguém com muito entusiasmo pela vida, que mudará seu modo de viver.

O EREMITA

O Arcano do Eremita nos é representado pelo apóstolo Pedro, senhor de idade já avançada, que age com cautela e prudência.

Sua expressão é de experiência e dá-nos a impressão de ser o regente do tempo. Sente que os anos já passaram para ele e que a luz da verdade finalmente chegou. Como alguém que espera esta luz, se agarra à mesma e continua o seu caminhar.

Ele vem nos dizer que com a experiência e a observação, recolhendo-se no silêncio do seu Eu Interior, a resposta para todas as causas pode ser encontrada, mas em nada devemos nos apressar.

Como o apóstolo Pedro, sabemos que nunca é tarde para darmos início a algo em nossa vida, pois é justamente com o passar do tempo que adquirimos experiências. Seu semblante não é nem de alegria, nem de dor, é o de alguém que já viveu muitas experiências em sua vida e que sabe neste momento analisar o que é bom ou ruim.

Pedro queria sempre ser a luz de algo que o Mestre pedia, ele se colocava na frente como que a dizer, eu pela minha idade e conhecimento sou a pessoa ideal para comandar esta idéia.

Este arcano nos sugere para que andemos mais devagar em nossa vida, analisando tudo o que estiver ao nosso alcance. Nada é mais precioso e nos torna mais sábio que o observar.

Quando o Arcano do Eremita surge num jogo ele tem a nos dizer o seguinte: Chegou o momento de você se afastar do que está fazendo, um retiro para o campo seria muito bom.

Seus empreendimentos sofrerão um pouco de atraso, não se deve preocupar com isto, pois é para o seu amadurecimento.

A RODA DA FORTUNA

O Arcano da Roda da Fortuna é representado por uma roda em constante movimento e nos é representado também pela figura de José de Arimatéia.

José de Arimatéia era uma pessoa de boa posição social, tudo transcorria em perfeita calma em sua vida, até que um dia se encontra com o Mestre e, deste momento em diante, sua vida se modifica completamente.

Ele soube conciliar o dinheiro com a vida espiritual, sua fortuna, em vez de trazer cegueira para o seu espírito, serviu para ajudar o Mestre e os apóstolos em vários setores de sua vida.

Ao construir a sepultura do Mestre com o seu próprio dinheiro, José de Arimatéia colocou ali um corpo sem vida, mas logo em seguida se transformou num corpo espiritual, transmutando a sua presença.

Este arcano vem nos dizer que uma mudança está por acontecer em nossa vida, mudança está que será de modo repentino. Existe toda a possibilidade de vir a adquirir uma grande fortuna. De qualquer forma isto indica algo que está acontecendo em seu interior, uma mudança por não mais concordar com o atual sentido de sua vida.

Quando o Arcano da Roda da Fortuna surge num jogo ele tem a nos dizer que: Uma grande mudança está por acontecer, possibilidade de melhoria no ramo de trabalho. Ganho de herança.

Quase sempre estas mudanças são para o nosso bem.

Indica também um casamento muito bem definido, com alguém de ótima posição social.

A JUSTIÇA

O Arcano da Justiça nos mostra uma senhora sentada em seu trono empunhando uma espada, ela nos é representada pela presença de Rute e tudo isto aconteceu nos dias em que se julgavam os juízes. Sendo ela uma estrangeira, corre o risco de vir a perder a herança da família, por estar em um país estranho.

A Justiça é a imagem do julgamento reflexivo e da racionalização. O julgamento para Rute não tem por base o sentimento pessoal, mas a avaliação impessoal e objetiva de todos os fatores contidos numa situação.

Seu desejo é de lutar por princípios, em vez de paixões. Tem por finalidade trazer a luz e a razão, para fatos que exigem frieza de raciocínio para elucidá-los.

A Justiça é a reação de equilíbrio entre o direito e o dever. A espada aqui é o prenúncio de proteção e de equilíbrio para os bons e uma ameaça para os maus.

Toda inteligência deve ater-se em seu ponto de equilíbrio, para que a Justiça seja feita para todos.

Quando o Arcano da Justiça aparece num jogo ele tem a nos dizer o seguinte: A pessoa deve agir de maneira fria e equilibrada diante de todos os problemas que possam surgir.

Existem problemas com a Justiça, problemas de herança malsolucionados.

Brigas podem surgir a qualquer momento.

Intrigas em seu meio social.

O ENFORCADO

O Arcano do Enforcado nos mostra um senhor sacrificando a si próprio, tendo por base uma causa maior.

Este arcano é simbolizado por Abraão, que, com um sentido de profundo desprendimento, oferece ao Senhor a vida de seu próprio filho.

Este é o símbolo do sacrifício voluntário, feito em favor de alguém, sem pensar em nós próprios.

Abraão, recebendo um chamado do Senhor, não mediu esforços em oferecer o que de mais precioso tinha, seu próprio filho, em holocausto, mas o Senhor, que apenas comprovava sua fé, no momento exato do sacrifício, interrompe o ato de Abraão e salva o seu filho, mostrando-nos a grandeza e a importância em nos oferecermos a ajudar alguém.

Este sacrifício tanto pode ser feito de uma maneira visível, como no anonimato. Muitas vezes nos sacrificamos por alguém de forma que os outros vejam e com isto somos aplaudidos, outras vezes fazemos o mesmo sacrifício de forma obscura, nos afastando da sociedade e de nossos ideais e cedendo o nosso lugar a alguém a quem muito amamos.

Deve-se saber de antemão que o preço deste caminho é a solidão e a dúvida, isto é chamado nos assuntos religiosos como a verdadeira fé, por alguém que se desprendeu de seus bens, para se dedicar a algo muito mais profundo.

Quando o Arcano do Enforcado aparece num jogo ele tem a nos dizer o seguinte: Existe a necessidade de se fazer um sacrifício em favor de algo muito mais valioso. Isto pode ser no campo material ou espiritual.

O consulente deve aprender a perdoar seus inimigos e esquecer o passado. Deixe que tudo se vá.

A MORTE

 O Arcano da Morte nos mostra uma figura sombria, saindo do vale da morte e a sua expressão parece nos dizer que este é o caminho por que todos teremos de passar. Não há escapatória.

Este arcano é simbolizado por Lázaro, amigo íntimo do Mestre, que teve a experiência de conhecer a morte e voltar para a vida.

Ao nos depararmos com este quadro da morte de Lázaro e de sua volta ao mundo dos vivos, sentimo-nos com certo receio de encarar a morte, achando que ela vem para acabar com tudo, realmente ela é infalível, mas trata-se de um processo natural da ordem do Universo, que diz que para tudo existe um começo e um fim, para que algo nasça é preciso que primeiro morra o que já não tem mais utilidade.

Esta carta não se refere somente à morte física, também configura a finalização de um determinado ciclo de nossa vida, por alguma circunstância somos impelidos a interromper algo em nossa vida, para darmos início a outro modo de vida.

Nem sempre esta morte ocasional nos traz a dor, muitas vezes é a morte de um velho sistema de vida, que já não havia mais motivo de continuar, que já estava deteriorado, e que agora tende a mudar para o novo processo no modo de viver, trazendo-nos novas alegrias e esperanças futuras.

Todos os relacionamentos, mesmo os mais íntimos, têm seu começo e término, seja pela morte física ou seja para dividirmos este amor com os nossos filhos, que agora vêm para dar novo nascimento em nossa vida.

Quando o Arcano da Morte aparece num jogo ele tem a nos dizer que: Algo em sua vida está para terminar, você deve aceitar sem pôr obstáculos.

Algo importante está para nascer em sua vida, mas para isso você terá de abrir mão de certas coisas antigas e esquecer tudo que ficou para trás.

A TEMPERANÇA

O Arcano da Temperança nos mostra uma senhora tendo em suas mãos duas taças e está despejando água de uma taça para outra.

Sua fisionomia é de contemplação, representa separar o joio do trigo e sua natureza é de bondade.

Este arcano é simbolizado por Isabel, irmã de Maria a mãe do Mestre e que foi a pessoa em quem Maria confiou ao saber que estava grávida.

Neste arcano vemos a bondade e a compreensão, aquela que sabe julgar os fatos e sabe com certeza qual é a verdade.

Este arcano traz em sua mensagem que haverá na vida do consulente algumas mudanças de situações, a pessoa será induzida a procurar alguém de seu convívio a fim de lhe pedir orientações sobre como resolver algum problema de sua vida.

Denota ainda que em nosso caminho aparecerá alguém de ótimos sentimentos e que trará a luz a certos problemas de ordem psicológica que nos afligem.

Denota também que algo que já não se adapta a sua vida terá fim, todas as circunstâncias tendem de agora em diante a entrar nos eixos e os seus resultados serão plenamente satisfatórios.

Quando o Arcano da Temperança surge num jogo ele tem a nos dizer o seguinte: Significa que haverá mudanças de trabalho, de casa ou do modo de viver.

Significa também que todos os nossos pensamentos terão de agora em diante um novo direcionamento.

Pressagia também um bom casamento, com pessoa altamente espiritualizada.

O DIABO

 O Arcano do Diabo nos mostra uma figura de um gênio, que tem na sua mão um homem e uma mulher, manejando-os ao seu bel-prazer, parecendo que isto o torna muito feliz.

Este Arcano é simbolizado por Adão e Eva, primeiros personagens de nossa história e que muito tem a ver conosco.

Este símbolo representa aquela necessidade ou aquele instinto dentro de nós que sempre nos impele a seguir numa determinada direção. Ele representa que somos escravos de nossos instintos, ao invés de sabermos orientá-los em nosso proveito.

Este arcano geralmente vem nos mostrar os nossos problemas de ordem sexual, muitas vezes temos vergonha de mostrar nosso próprio corpo e temos medo dos impulsos sexuais que estão afluindo a nossa mente.

Geralmente a pessoa que é marcada por esta carta é alguém que se sente inferiorizado pela sociedade e busca nos impulsos sexuais o resultado para seus problemas. Essa pessoa deveria direcionar sua vida para outros ideais e não ficar escrava de uma idéia obsessiva e sem proveito.

Como Adão e Eva que foram impelidos por uma paixão desmedida, sem pensar nas conseqüências, tiveram um fim de sofrimento, este arcano vem nos dizer que: A melhor forma de se evitar um sofrimento é analisar bem as conseqüências de seus atos.

Quando o Arcano do Diabo aparece num jogo ele tem a nos dizer que: Procure verificar se este seu relacionamento não é apenas paixão e se pode trazer-lhe mais tarde dor e sofrimento.

A pessoa sente a necessidade de se libertar de suas amarras na vida, quer conhecer novos amores e se agarra à primeira pessoa que aparece.

Significa, também, que o casamento, que já está marcado, pode não se realizar.

A TORRE

O Arcano da Torre nos mostra uma edificação de pedra erigida pelo homem, edificação esta que foi feita tendo em vista maus propósitos e ambição, mas que é derrubada por um raio, como que a nos dizer para que não ambicionemos o que não é para nós.
Este arcano é simbolizado pela Torre de Babel, que como sabemos foi edificada pela ambição do homem em querer ter poder e conhecimento, mais do que lhe é necessário.

Ela representa as nossas estruturas internas e externas, que estão por ruir, não devemos continuar a agir da maneira como vínhamos agindo até o presente, pois o alerta já nos foi dado.

Este arcano nos avisa que teremos de parar com tudo o que demos início, teremos de fazer um retrospecto de nossa vida e analisarmos se o que estamos fazendo está sendo feito com boas finalidades e com boa estrutura ou se o fazemos apenas para nos engrandecermos perante a opinião dos outros.

Esta Torre tombada nos mostra que antigos padrões de vida têm de ser revistos. A atual profissão que estamos exercendo não nos é indicada, fomos impelidos a ela apenas por ambições.

Nesse ponto é chegada a hora do consulente fazer uma análise profunda de sua vida e ver o que está sendo feito de errado e que não há estrutura. Num relacionamento amoroso esse arcano indica que o rompimento é inevitável, já não existe mais o amor de antigamente, o edifício que sustentava esse romance acaba de ruir.

Quando o Arcano da Torre aparece num jogo ele tem a nos dizer o seguinte: Existe a queda em todos os seus projetos, exige-se o máximo cuidado em tratar com o seu dinheiro.

Num relacionamento amoroso indica que é chegado o momento da separação se forem casados, se ainda não forem é aconselhável desistir desse casamento.

A ESTRELA

O Arcano da Estrela nos apresenta uma jovem diante de uma arca, tendo sua fisionomia extasiada diante da visão do futuro que é vislumbrada de dentro da mesma.

Este arcano nos é simbolizado pela Arca da Aliança, que o Senhor ordenou a Moisés que construísse e que traria respostas para as perguntas do futuro. Nela, ao se abrir, vemos várias estrelas reluzentes, como a nos indicar a crer no futuro, ela é a própria simbolização da esperança, aquilo que todo ser humano tem dentro de si, por pior que seja sua vida.

A estrela não representa apenas a realização de planos que temos para o futuro muito distante, ela representa, também, as realizações que estão por acontecer em nossa vida, no que se refere aos fatos do cotidiano, apesar de no nosso cotidiano as coisas parecerem paradas e sem solução, ela vem nos dizer para que tenhamos fé e esperança, pois tudo tende a se modificar em nossa vida.

Este arcano retrata os anseios de nosso coração, nossos sonhos, fantasias, algo que está fechado e que só nós poderemos abrir. Ela vem nos dizer que a maior parte de nossos bloqueios são infundados, são frutos de não sabermos como encarar a vida de frente e com otimismo, as realizações tornam-se concretas se soubermos usar as aspirações internas que existem em nós.

Quando o Arcano da Estrela surge num jogo ele tem a nos dizer o seguinte: Uma luz brilhará em seu caminho, mostrando que rumo seguir em sua vida.

Um negócio que visivelmente está perdido, existe a probabilidade de ser salvo.

Num relacionamento amoroso que foi interrompido, existe a possibilidade de reatamento.

Existe a esperança de boas realizações em todos os setores de sua vida.

A LUA

O Arcano da Lua nos mostra este satélite natural da Terra influenciando todo nosso modo de pensar.

Este arcano é simbolizado por João, o apóstolo amado do Mestre e que teve a experiência mais impressionante, no que se refere ao nosso inconsciente.

Estando João na ilha de Patmos, este foi arrebatado em espírito e viu coisas impressionantes que não se pode julgar, no vislumbre do seu inconsciente, viu pessoas e animais aterradores, coisas e fatos lhe passavam por sua mente de maneira espantosa, acontecimentos terríveis lhe foram revelados quanto ao futuro do homem e João estupefato a tudo assistia e guardava em sua memória.

Seu simbolismo, o da Lua, vem para nos dizer que, muitos fatos, nem sempre coisas agradáveis, estão enraizadas nas profundezas de nossa psique. Nesse caso, somos vítimas das impressões e da imagem que os outros fazem de nós, tendemos sempre a ver o futuro como algo tenebroso e sem retorno.

Nossa imaginação é poderosíssima, quase sempre os perigos que nos são mostrados não são realidades, mas tendemos a nos agarrar tanto nas imagens que fazemos, que somos muitas vezes enganados pela nossa mente.

Este arcano vem para nos dizer que devemos analisar com mais profundidade nossos anseios e medos e verificarmos o que realmente é bom para nós. Este arcano também se refere a uma gestação, gestação esta de pensamentos, que devemos tomar o máximo de cuidado para verificar se os mesmos não são apenas fantasias.

Quando o Arcano da Lua aparece num jogo ele tem a nos dizer o seguinte: Estamos em completa confusão mental, sonhos aterradores nos perturbam. Exige-se a máxima cautela.

O consulente pode estar envolvido com falsos amigos.

O SOL

O Arcano do Sol nos mostra um jovem forte e radiante, tendo na sua cabeça a luz do Sol, que lhe promete sucesso em tudo o que empreender.

Este arcano é simbolizado por Josué, o sucessor de Moisés, que deveria conduzir o povo à terra prometida. Josué foi o escolhido entre todo o povo, por sua força e fé nos propósitos da vida e por acreditar numa força maior.

Seu simbolismo vem para nos dizer que existe uma força muito forte dentro de cada um de nós, essa força ou essa luz resplandecente vem para apagar as trevas de nossos medos e angústias.

Sua força vem nos guiar para a frente, rumo aos nossos ideais, devemos confiar no que nos indica essa energia interna que brota de dentro de nós, pois ela deseja somente o nosso bem-estar.

Este arcano é a própria imagem da beleza, da glória e do bem-estar, pessoas importantíssimas vêm em nosso auxílio, e ao contrário do arcano anterior, onde tudo era trevas e inimizades, neste caso, tudo se resplandece em luz e em amizades.

Tudo o que estivermos fazendo deve ser continuado, pois tende a ter bom progresso e os resultados serão os melhores possíveis.

Deve-se porém tomar um pouco de cuidado com o excesso de entusiasmo que é acometido neste momento, analisando todos os detalhes do que for empreender.

Quando o Arcano do Sol aparece num jogo ele tem a nos dizer o seguinte: A partir deste momento tudo tende a ficar claro em sua vida. Projetos vultosos estão por acontecer.

Num relacionamento amoroso indica um casamento muito feliz.

A pessoa está cercada de bons amigos.

O JULGAMENTO

 O Arcano do Julgamento nos mostra um senhor olhando para algumas crianças sendo ressuscitadas e lhes mostrando como sair de sua letargia.

Este arcano é simbolizado por Jó, conhecido por sua força e tenacidade, não se amedrontou com a perda de sua fortuna e nem com a doença que o acometeu.

Jó é a figura daquele que espera um novo renascer, aquele que olha para o céu e sabe que alguém virá em seu auxílio.

Este arcano vem a nos dizer que, em certos momentos de nossas vidas, somos induzidos a fazer uma auto-análise, tirando do convívio tudo que já não tem mais razão de ser. É também a imagem da certeza de tudo o que está fazendo, pois é dirigido por uma imensa fé no futuro.

Este arcano significa também o renascimento de nossos mais altos ideais e que sempre serão dirigidos por bons caminhos. Ele vem nos advertir para que fiquemos adormecidos em nós mesmos, para que nos ergamos e vislumbremos o futuro.

Em seu simbolismo também traz o julgamento de nossos atos, ele tende a separar o que já não presta e indica-nos uma direção a seguir.

Quando o Arcano do Julgamento aparece num jogo ele tem a nos dizer o seguinte: Tudo o que fez será agora pesado e a recompensa virá no momento oportuno. Deve saber que nem sempre a recompensa será agradável, depende do que tiver feito.

Haverá, também, o início de novos pensamentos inspiradores quanto ao seu futuro.

No relacionamento amoroso prediz que está para reaparecer um antigo amor, que você julgava terminado.

O MUNDO

O Arcano do Mundo nos mostra um Ser completamente resplandecente, envolto num círculo feito por uma serpente se interligando completamente e que traz em sua mensagem a representação do Alfa e Ômega, ou seja, o princípio e o fim de tudo.

Este arcano é simbolizado pelo Mestre Jesus, personagem principal do Novo Testamento, e a sua mensagem é o amor universal entre os homens.

Seu simbolismo é universal, não se apegando a apenas uma coisa, ele abrange todos os desejos do homem, suas ânsias e seus conhecimentos.

É a imagem da complementação, da integração do homem, este arcano não é parcial, mas sim total em todos os pontos de vista. Temos de ver no simbolismo desse arcano que, nos momentos conflitantes de nossa existência, ele vem para dizer que tudo o que era de atraso e negativo chegou ao seu final.

Todo consulente, ao receber este arcano, deve saber que todos os seus medos e anseios chegaram ao final, dentro dos Arcanos do Tarô você acabou de encontrar a chave de todo o sucesso e prosperidade.

Assim como a serpente que circunda o Ser, este arcano reflete a sabedoria, significando que finalmente o autoconhecimento chegou à pessoa que está consultando.

Pode ser, também, que tenha chegado o momento de sua iniciação por caminhos mais elevados de sua espiritualidade. Pessoas de elevados conhecimentos tentarão se aproximar de você.

Quando o Arcano do Mundo surge num jogo ele tem a dizer o seguinte: Que desse momento em diante tudo em sua vida será realizações. Nada mais acontecerá pela metade. Só bons acontecimentos pode esperar da vida.

Simboliza, também, um casamento próspero e feliz.

O LOUCO

O Arcano do Louco é representado por um senhor andando cegamente e que se encontra à beira de um precipício.

Este arcano é simbolizado por Judas Iscariotes, que cego e louco por dinheiro, não mediu esforços em trair o próprio Mestre.

Este arcano nos traz a presença da inconsciência do que fazemos, é a própria inconseqüência dos atos, fazemos tudo movidos por uma paixão louca, sem analisar as conseqüências.

O abismo que se defronta diante de si é imenso, não haverá retorno, como Judas, primeiro se dá o passo para depois pensar nas conseqüências.

Mas devemos saber também que, tal procedimento nem sempre vem com um impulso, muitas vezes é algo premeditado com antecipação, mas mesmo desta forma não foram analisadas as suas conseqüências.

Este é um arcano ambivalente, pois pode em alguns casos em que se toma essas decisões sem o devido pensar, surgir bons resultados, mas de qualquer forma é uma carta que nos traz à mente a figura de alguém que de um modo ou de outro mudou o transcurso da história.

Quando o Arcano do Louco surge num jogo ele tem a nos dizer o seguinte: O consulente está com forte desejo de empreender algo de novo em sua vida, de momento não sabe exatamente o que é, mas essa força o impele para a frente de qualquer forma.

Existem perigos em sua vida pelo seu modo de agir, mas também há a possibilidade de que o negócio que agora começa a investir tenha sucesso.

O conselho a ser dado é que vá em frente, siga seus impulsos, pois é melhor fazer alguma coisa do que ficar simplesmente parado.

ARCANOS MENORES

ARCANOS MENORES

Existem quatro tipos de naipes no Tarô, temos um representado pela taça, que simboliza as nossas emoções, nossos sentimentos interiores, tudo aquilo que afeta nossa alma.

Ele é um elo importantíssimo entre nós e o Ser Superior a que todos nós buscamos.

Depois vêm os naipes representados pelo bastão, que se refere ao fogo de nossas paixões, aquilo que queremos perpetuar e consagrar em nosso nome, aquilo que muitos reis e homens públicos fizeram para eternizar seus nomes.

Em seguida vêm os naipes representados pela espada. Eles têm a nos dizer com tudo aquilo que se refere aos sentimentos de animalidade que temos dentro de nós, é aquilo que nos impele para a luta, para que não permaneçamos parados, esperando que as coisas aconteçam.

Finalmente temos os naipes representados pelo ouro, eles significam a ambição do homem, este, desde o princípio, foi motivado pelo senso do poder e o dinheiro é a forma mais comum de simbolizar este poder.

De posse destas cartas podemos prever acontecimentos que sucedem na vida de qualquer pessoa, pois as suas figuras estão a nos indicar um estado da vida do consulente, elas captam toda a personalidade da pessoa, trazendo à tona aquilo que a pessoa tem de mais profundo em seu subconsciente.

Seu manuseio, junto com os Arcanos Maiores deve ser feito com toda a seriedade possível, analisar as respostas que nos são apresentadas não é difícil, basta um pouco de dedicação e sensibilidade.

REI DE COPAS

O Arcano do Rei de Copas nos mostra um rei sentado em seu trono e tendo em uma das mãos uma taça. Sua fisionomia é de amor e de querer encontrar dentro de seu coração resposta para muitos de seus sonhos.

Este arcano é simbolizado pelo rei Nabucodonosor, rei da Babilônia, que viveu tentando decifrar alguns de seus sonhos, até que finalmente conseguiu alguém que pudesse elucidar de forma satisfatória os mesmos.

Este arcano vem nos dizer de alguém que busca remédio para seus males, alguém que sente compaixão por outras pessoas.

Quando o Arcano do Rei de Copas aparece num jogo, ele tem a nos dizer o seguinte: A pessoa que está fazendo a consulta deve procurar o conselho de pessoas mais velhas.

Também significa que um senhor já de certa idade tende a aparecer na vida do consulente, se for homem, indica que ele irá encontrar uma pessoa de posses, que irá ajudá-lo a resolver seus problemas e saberá aconselhá-lo quanto ao seu futuro. Se for uma consulente, tudo indica que ela virá a encontrar um bom senhor de ótimos sentimentos que provavelmente a pedirá em casamento.

Para ambos os casos há indício de virem a conhecer alguém que lhe traga certa estabilidade financeira.

RAINHA DE COPAS

O Arcano da Rainha de Copas nos mostra uma bela senhora com um semblante de puro amor e tendo em uma das mãos uma taça.

Este arcano é simbolizado pela rainha de Sabá, uma mulher que se destacou por procurar em outros reinos aquilo que faltava para seu povo.

Este arcano vem para nos avisar que devemos estar sempre em busca de algo que possamos fazer para nosso aprimoramento. Ele representa uma mulher que sem pensar na sua fragilidade física parte em busca de novos conhecimentos.

Ela vem nos dizer que é chegado o momento de adentrarmos em nosso mais profundo ser, em busca de respostas para nossos anseios e dos que nos cercam.

Trata-se muito mais do que uma simples mulher, neste caso é alguém de forte magnetismo e coragem, que sabe que, movida pelo amor, tudo pode conseguir.

Quando o Arcano da Rainha de Copas entra num jogo ele tem a nos dizer o seguinte: Se for uma consulente, esta deve aprender a desenvolver dentro de si a feminilidade. Também indica casamento. Se no caso for um consulente, ela vem a nos dizer que o consulente encontrará uma formosa mulher, que mudará totalmente sua vida, levando-o a uma paixão violenta. Também indica neste caso casamento.

Em ambos os casos indica que a pessoa irá ter sorte nos relacionamentos amorosos.

PAJEM DE COPAS

O Arcano do Pajem de Copas nos mostra uma pessoa bem jovem e alegre, tendo em uma de suas mãos uma taça. Seu semblante é de despreocupação e alegria.

Este arcano é simbolizado por Barzilal, amigo e conselheiro de Salomão, a quem este o convidou para sentar em sua mesa e comer com ele.

Este arcano vem nos dizer que um amor está por nascer em nossa vida. Já não teremos mais a tranqüilidade de antes, agora novas agitações tomam conta de nossas vidas.

Pressagia também: O amor que a pessoa sente por si própria. Que a partir deste momento ela começará a valorizar o seu corpo.

Neste momento tudo é alegria, é o começo de descobertas agradáveis.

Quando o Arcano do Pajem de Copas surge num jogo ele tem a nos dizer o seguinte: Você terá um belo encontro, que marcará o seu coração.

Alguém do seu relacionamento começa a notar a sua presença.

Pressagia que você começa a notar seus próprios encantos.

CAVALEIRO DE COPAS

O Arcano do Cavaleiro de Copas nos mostra um jovem cavaleiro sentado em seu cavalo e trazendo em suas mãos uma taça.

Este arcano é simbolizado por Simei, um jovem de bom coração que vivia com o rei Salomão. Este foi avisado que não saísse da cidade preparada por Salomão, mas desobedecendo suas ordens o rei Salomão o mata.

Este arcano vem nos dizer que alguém confia em nós, e nós também poderemos confiar em alguém que está próximo.

Este arcano pressagia bons acontecimentos, boas notícias estão por chegar.

Este arcano vem nos indicar que a vontade de amar está chegando até nós.

Quando o Arcano do Cavaleiro de Copas surge num jogo ele tem a nos dizer o seguinte: Alguma notícia sobre amor está a caminho.

Um jovem impetuoso se colocará em seu caminho, ele é cheio de amor e de boas intenções.

Para uma mulher, pressagia que virá a conhecer um belo rapaz, por quem se apaixonará perdidamente.

Notícias boas e agradáveis estão a caminho.

Em nossa viagem através da história, nos deparamos agora com o início dos sentimentos mais profundos que o homem traz dentro de si.

O Arcano de Uma Copa, representado por Uma Taça, vem nos dizer que é chegado o momento de sairmos de nossa letargia e comodismo, agora sentimos a necessidade de mudar nossa vida, ou seja, compartilhar com outro alguém nossas emoções.

Quando o arcano simbolizado por uma taça aparece num jogo ele tem a nos dizer o seguinte: Algo está começando a se agitar dentro de si, existe a necessidade de vir a conhecer alguém.

Pressagia um relacionamento amoroso por começar.

Em seu relacionamento de amizades, alguém se interessará por você.

DUAS COPAS

Neste momento, o homem já sente mais de perto a aproximação de um amor. Este amor ainda está latente em seu inconsciente, mas já começa a se manifestar em seu meio social.

Quando o arcano simbolizado por Duas Taças aparece num jogo ele tem a nos dizer o seguinte: Um feliz encontro está reservado a você, trazendo-lhe muitas felicidades.

Também pode vir a ser que está próxima uma reconciliação amorosa.

Em uma festa, poderá vir a conhecer alguém muito especial.

TRÊS COPAS

A partir deste momento o homem, já mais seguro de si, vem a concretizar este relacionamento amoroso. Sente uma grande paixão que já não pode mais deixar para o futuro e nem viver sem esta pessoa.

Quando o arcano, simbolizado por Três Taças, aparece num jogo, ele tem a nos dizer o seguinte: Haverá um casamento com o consulente, muitas ternuras afetivas estão previstas em sua vida.

Alguém a quem ele tanto ama corresponderá ao seu amor.

Vitória em todas as causas amorosas.

QUATRO COPAS

Neste momento, o homem encontra-se com alguma dúvida quanto ao seu relacionamento amoroso, ele é vítima de intrigas, pessoas mal-intencionadas tentam a todo custo acabar com a sua vida conjugal.

Quando o arcano simbolizado por Quatro Copas surge num jogo ele tem a nos dizer o seguinte: Tome o máximo de cuidado com pessoas invejosas, que tudo farão para acabar com seu relacionamento amoroso.

O consulente está feliz com o seu casamento.

Existe a possibilidade de o parceiro amoroso sair de sua vida.

CINCO COPAS

Neste momento, o homem sente que, por dar atenção demais aos outros, seu amor foi-se para sempre. Ele tentará a reconciliação, mas muito dificilmente conseguirá, pois seu amor sentiu-se magoado por você não confiar plenamente nele.

Quando o arcano simbolizado por Cinco Copas aparece num jogo ele tem a nos dizer o seguinte: O consulente descobriu algo errado em seu casamento, alguma traição que ele não esperava aconteceu.

Pressagia também contrariedades no amor, perigos de rompimentos.

Há indícios de que você venha a descobrir algo do seu amor que não lhe agrade.

Separação amorosa e muita dúvida se este voltará.

SEIS COPAS

Neste momento, o homem está se sentindo só, pensando em alguém que se foi, pensa se há possibilidades para o retorno. Sente-se completamente desorientado.

Quando o arcano simbolizado por Seis Copas aparece num jogo ele tem a nos dizer o seguinte: Foi vítima de falatórios e ficou sozinho na vida. Aguarda ansiosamente pela volta de alguém, com quem viveu no passado.

Pressagia também um momento de solidão e de remorsos. Aguarda alguém que poderá vir.

O consulente está só e sente a necessidade de um novo amor.

SETE COPAS

Neste momento, o homem começa a fazer uma auto-análise de sua vida, já não tenta mais se comunicar com os outros, mas busca dentro de si respostas para suas dores.

Quando o arcano simbolizado por Sete Copas surge num jogo ele tem a nos dizer o seguinte: O consulente deve buscar dentro de si, respostas para seu problema. Alguém virá em sua ajuda, para resolver um problema amoroso.

Indica também que a pessoa está diante de um desafio, terá de se decidir entre um amor e outro.

A pessoa deve procurar a orientação de alguém muito experiente para se aconselhar.

OITO COPAS

Este é o pior momento para o homem no que se refere à sua vida amorosa. Sente-se completamente só e sabe que não adianta buscar alguém neste momento. Deverá continuar em sua solidão, aguardando melhores momentos.

Quando o arcano simbolizado por Oito Copas aparece num jogo ele tem a nos dizer o seguinte: Algum escândalo amoroso está previsto em sua vida.

Sente a dor do fim de um relacionamento amoroso.

Não deve insistir em ter alguém de volta, pois tudo está terminado.

Fim de um casamento sem reconciliação.

NOVE COPAS

Neste momento, o homem sentirá a recompensa por tudo que tentou fazer em sua vida. Novos conhecimentos estão previstos em sua vida. Pessoas agradáveis virão ao seu encontro e o ajudarão em todos os setores de sua vida.

Quando o arcano simbolizado por Nove Copas aparece num jogo ele tem a nos dizer o seguinte: Em sua vida tudo tende a mudar de agora em diante.

Indica a possibilidade de um ótimo casamento, com alguém de muito boa posição social.

Muitas felicidades em seu relacionamento amoroso.

Pressagia também vitória e ganho de prestígio entre todos.

DEZ COPAS

Deste momento em diante o homem já não tem mais nenhum problema com referência à sua vida amorosa. Já maduro e realizado na vida, ele encontrou a esposa ideal, que será seu eterno amor.

Quando o arcano simbolizado por Dez Copas aparece num jogo ele tem a nos dizer o seguinte: Viverá a partir de agora completamente feliz, terá muitos filhos que lhe trarão completa felicidade.

Pressagia também uma vida repleta de felicidade e paz.

Indica também que seu relacionamento amoroso tende a se consolidar. Será um ótimo casamento.

REI DO BASTÃO

O Arcano do Rei de Bastão nos mostra um rei, sentado em seu trono e tendo em uma de suas mãos um bastão. Sua fisionomia é de paixão e de alguém que busca um ideal.

Este arcano é simbolizado pelo rei Davi, rei de Israel e Judá, que finalmente consegue ser entronizado, graças à ajuda e amizade de Jonatas.

Sua vida foi sempre cercada por um ardente ideal de liberdade.

Este arcano vem nos dizer que todo homem vive sempre em busca de um ideal maior na sua vida. Existe, dentro do ser humano, uma paixão que o convida a trilhar por caminhos nunca antes percorridos e esta busca sempre o leva ao encontro de algo maior em sua vida.

Também é a imagem do entusiasmo, da alegria de viver, de ajudar alguém que esteja necessitado. É aquele que vem acender em nossos corações a chama de um novo entusiasmo.

Quando o Arcano do Rei de Bastão surge num jogo ele tem a nos dizer o seguinte: Chegou o momento de você pôr em prática suas idéias criadoras, será de agora em diante mais criativo e original.

Pode indicar também a chegada de um senhor de altos ideais e que irá influenciar sobremaneira a sua vida.

Chances de um casamento muito feliz, com alguém de ótima personalidade.

RAINHA DO BASTÃO

O Arcano da Rainha do Bastão nos mostra uma bela senhora sentada em seu trono e tendo em uma de suas mãos um bastão. Sua fisionomia é de paz e confiança.

Este arcano é representado pela imagem de Rute, jovem israelita, que valentemente luta em terras estrangeiras para salvar o nome de sua família e salvar sua herança. Sua presença é marcante, simbolizando alguém que tem a chama da esperança dentro de si.

Este arcano vem nos dizer da lealdade de uma pessoa, dos ideais que levam alguém a se aventurar por terras estrangeiras. Ela simboliza alguém em quem podemos confiar plenamente.

Outra imagem que este arcano nos traz é de alguém que não fica em divagações, quando tem um ideal em sua vida. Sua vida é uma constante luta.

Quando o Arcano da Rainha do Bastão surge num jogo ele tem a nos dizer o seguinte: Chegou o momento de partir em busca de um ideal em sua vida.

A pessoa é imensamente criativa e original, é digna de confiança e muito trabalhadora.

Pode vir a aparecer na vida do consulente uma bela mulher que mudará totalmente a sua vida.

PAJEM DO BASTÃO

O Arcano do Pajem do Bastão é representado por um jovem de belas feições, tendo em uma de suas mãos um bastão.

Este arcano é simbolizado por Acabe, jovem rei que reinou em Israel. Era Acabe de natureza tempestuosa, sempre ansiando por fazer novas aventuras, o que o tornava uma pessoa por demais irrequieta.

Este arcano vem nos dizer o seguinte: É chegado o momento de buscar novas aventuras em sua vida.

Chega um momento em nossa vida que temos de procurar por novos conhecimentos, o que já sabemos torna-se para nós insuficiente.

Geralmente este momento é de grande entusiasmo, fazendo-nos sentir com um grande vigor para enfrentar qualquer situação.

Quando o Arcano do Pajem do Bastão surge num jogo ele tem a nos dizer o seguinte: Está inquieto no seu modo de viver, acha que tudo está parado e sem motivação.

Existe dentro de si o lampejo de vir a empreender um novo ramo de negócio.

Será feito um convite para que venha a fazer uma viagem de estudos.

Terá sucesso em qualquer empreendimento no exterior.

Anseios por liberdade.

CAVALEIRO DO BASTÃO

O Arcano do Cavaleiro do Bastão é representado por um jovem de fisionomia radiante e confiante, tendo em uma de suas mãos um bastão.

Este arcano é simbolizado por Acazias, que era filho de Acabe. Tratava-se de um jovem com muitas aspirações e ideais de vida. Ele reinou em Samária e seguiu os caminhos de seu pai, em lutas pelo poder.

Este arcano vem nos dizer que: Neste momento, já não são apenas lampejos que sentimos dentro de nós, mas sim a realização de algo que muito desejamos.

Deste momento em diante as aventuras tomarão conta de nós, teremos necessidades de conhecer novos locais e novos sistemas. O território em que pisamos já não nos satisfaz.

Quando o Arcano do Cavaleiro do Bastão surge num jogo ele tem a nos dizer o seguinte: Um momento radiante está surgindo em sua vida. Anseios por novidades e tudo que diga respeito a aventuras.

Há indícios de que um jovem com idéias avançadas irá aparecer na vida da pessoa, dando novo rumo à mesma.

Terá necessidade de vir a conhecer outras partes do mundo.

Para uma mulher, indica que conhecerá um belo rapaz de boa personalidade e que virá pedi-la em casamento.

UM BASTÃO

Neste momento, o homem passa a seguir por outros caminhos, sente agora o impulso de seu desejo interior de conquistas e conhecimentos.

Uma incrível força criadora começa a tomar conta de seus pensamentos e ele começa a se aventurar pelo mundo em busca de novas emoções.

Quando o arcano simbolizado por Um Bastão surge num jogo ele vem nos dizer o seguinte: O consulente começa a ter novas e brilhantes idéias que deverá pôr em prática.

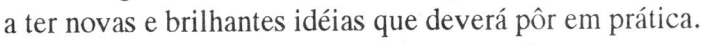

Existe inquietude em tudo ao seu redor.

A pessoa procura por novos ideais de vida.

Uma viagem por terras desconhecidas poderá vir a acontecer.

DOIS BASTÕES

Neste momento, o homem, já com algum conhecimento, começa a se aventurar por um novo caminho de sua vida. Agora, já mais amadurecido, ele tem capacidade de percorrer outro rumo.

Quando o arcano simbolizado por Dois Bastões aparece num jogo ele tem a nos dizer o seguinte: O consulente tem um forte desejo de iniciar algo de novo em sua vida, deverá fazê-lo, pois as chances são boas.

Pressagia também que terá ainda muito trabalho pela frente.

A pessoa é uma lutadora e digna de confiança.

TRÊS BASTÕES

Neste momento, o homem já pôs em prática um projeto seu e está começando a receber os benefícios que o mesmo lhe trouxe.

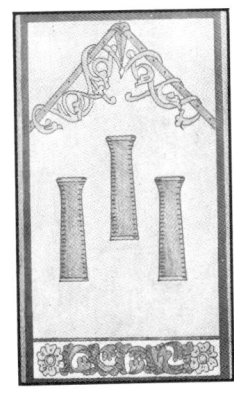

Começa a aparecer em sua vida bons sinais de progresso financeiro, promoções em seu setor de trabalho se fazem sentir.

Quando o arcano simbolizado por Três Bastões aparece num jogo ele tem a nos dizer o seguinte: Bons empreendimentos começam a aparecer em sua vida. O consulente começa a receber novos conhecimentos, que irão enriquecer seu futuro.

Pressagia que fará uma descoberta quanto a uma nova profissão.

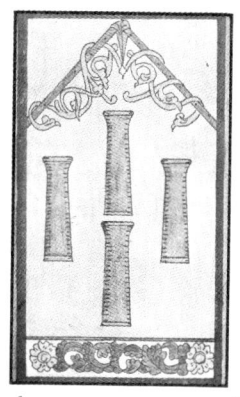

Neste momento, o homem já se sente realizado de seus sonhos e deveres. Um momento de sossego começa a fazer parte de seus dias. É o tipo da pessoa que já se sente realizada.

Quando o arcano simbolizado por Quatro Bastões surge num jogo ele tem a nos dizer o seguinte: O trabalho idealizado pelo consulente começa a surtir efeito. Boas novidades em seu ramo de trabalho.

Pressagia também um aumento de popularidade e reconhecimento público pelo que fez.

É chegado o momento da recompensa e do descanso.

Será procurado por empresas de alto porte, que desejarão contatá-lo para se beneficiar de seu espírito criativo.

CINCO BASTÕES

Neste momento, o homem se depara com alguns problemas e terá de enfrentar disputas para atingir seus objetivos.

A batalha terá de ser travada, não há como fugir, mas não deve assustar-se, pois no final a vitória será sua.

Quando o arcano simbolizado por Cinco Bastões surgir num jogo ele tem a nos dizer o seguinte: O consulente terá de enfrentar algumas batalhas pela frente. Pessoas não muito confiáveis se interporão em seu caminho tentando prejudicá-lo.

Atrasos e indecisões estão previstos em seus empreendimentos.

Cuidado com todos os assuntos materiais, eles tendem a sofrer um pequeno atraso.

SEIS BASTÕES

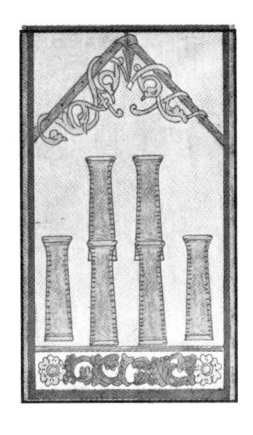

Neste momento, o homem sente que os outros virão a reconhecer suas idéias, já não existe mais o temor de antigamente, nem os obstáculos de outrora.

Quando o arcano simbolizado por Seis Bastões surge num jogo ele tem a nos dizer o seguinte: Brilhantes oportunidades estão previstas em sua vida. Será aclamado e reconhecido por todos.

Indica também que o consulente terá promoção em seu trabalho.

Uma idéia que era anteriormente contestada, agora terá o clamor de todos.

SETE BASTÕES

Neste momento, o homem tem pela frente um forte inimigo e exige dele força e coragem para vencê-lo.

De agora em diante, o inimigo se fará presente e tudo fará para derrubá-lo e colocá-lo no ridículo.

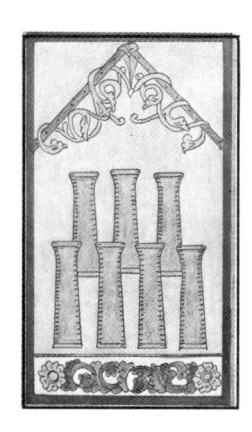

Quando o arcano simbolizado por Sete Bastões surge num jogo ele tem a nos dizer o seguinte: Acautele-se contra os inimigos, pessoas invejosas surgirão em seu caminho.

Terá de concorrer com outras pessoas mais poderosas que você.

Perigo de falências e de cair no descrédito popular.

Muitas vezes esses perigos são necessários para ensinar a pessoa a lutar pelos seus ideais.

OITO BASTÕES

Neste momento, o homem está contente com o que já empreendeu, sente que é chegada a hora de parar, vive somente usufruindo do que já conquistou.

É um momento de calmaria que está acontecendo com ele, mas seria aconselhável que ele ficasse mais atento a todas as circunstâncias, pois o comodismo não é recomendado a quem tem um ideal na vida.

Quando o arcano simbolizado por Oito Bastões surge num jogo ele tem a nos dizer o seguinte: O consulente já se sente realizado em tudo na vida. Pensa em fazer uma boa viagem de reconhecimento pelo mundo.

Pressagia também muito contentamento devido ao que já empreendeu no passado.

Alegrias por causa de dinheiro.

NOVE BASTÕES

Neste momento, o homem, que já havia encontrado a paz, terá de se defrontar com alguns obstáculos ainda pela frente. Algo de misterioso, que o consulente não esperava, está para acontecer.

É simplesmente inevitável, mas o perigo, embora não muito grande, irá se defrontar em seu caminho.

Quando o arcano simbolizado por Nove Bastões surge num jogo ele tem a nos dizer o seguinte: Quando menos esperamos e confiamos demais na sorte poderá surgir um obstáculo em nossos empreendimentos, exigindo de nós a máxima cautela.

Pressagia também alguns problemas referentes a empréstimos que fizemos e que levarão algum tempo para recebermos.

Pede-se cautela em não comentar com os demais os nossos projetos.

DEZ BASTÕES

Neste momento, o homem que já lutou tanto terá a recompensa plena e total de seus esforços. Já não há mais com o que se preocupar, tudo tende de agora em diante tornar-se realidade em nossas vidas.

Nenhum obstáculo terá ele pela frente, só lhe restará a satisfação de ver seus sonhos realizados.

Quando o arcano simbolizado por Dez Bastões surge num jogo ele tem a nos dizer o seguinte: O consulente é uma pessoa totalmente realizada na vida. Sente que deste momento em diante terá de fazer alguma coisa por outra pessoa.

Pressagia também que haverá aclamação de todos quanto à sua reputação.

REI DE ESPADAS

O Arcano do Rei de Espadas nos mostra um rei sentado em seu trono e tendo em uma de suas mãos uma espada. Sua fisionomia é de força e luta.

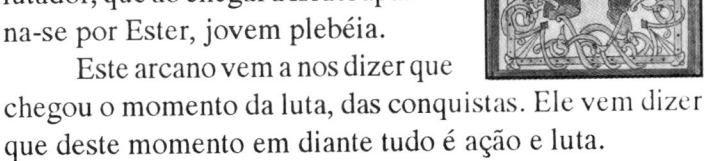

Este arcano é simbolizado pelo rei Assuero, rei da Pérsia, um valente lutador, que ao chegar a Israel apaixona-se por Ester, jovem plebéia.

Este arcano vem a nos dizer que chegou o momento da luta, das conquistas. Ele vem dizer que deste momento em diante tudo é ação e luta.

Este arcano também traz em sua mensagem que é chegado o momento de fazer uma análise dentro de si, para verificar se não está sendo orgulhoso demais com relação aos outros.

A pessoa corre também o risco de ter em seu caminho pessoas de baixo nível, em quem não deve confiar.

Este arcano também reflete alguém que age com muita justiça, sem se apegar ao amor.

Quando o Arcano do Rei de Espadas surge num jogo ele tem a nos dizer o seguinte: É chegado o momento de você encarar de frente a realidade. Terá pela frente grandes e sérios obstáculos.

Também significa que a pessoa está envolvida com algum processo judicial.

Para mulher, indica que encontrará um homem ligado à justiça, que desposará.

O Arcano da Rainha de Espadas nos mostra uma bela senhora sentada em seu trono e tendo em uma de suas mãos uma espada.

Este arcano é simbolizado pela rainha Ester, que desposou o rei Assuero, que antes era casado com a perversa rainha Vasti.

Este arcano vem dizer que é o momento de defrontar-se com as realidades de sua vida. Muitas lutas estão por acontecer ao seu redor, não deve se apavorar, pois elas fazem parte de seu modo de viver.

Trata-se de alguém que tem uma fé obstinada, que não mede esforços para ver realizados os seus sonhos. É o tipo de pessoa em quem devemos confiar, pois sabemos que levará até o fim o que desejou fazer.

Este arcano simboliza que toda a Justiça será feita em sua vida.

Quando o Arcano da Rainha de Espadas surge num jogo ele tem a nos dizer o seguinte: Pede que aja com mais confiança em si próprio. Você terá de enfrentar situações de luta, mas no final sairá vencedor.

Indica também a chegada de uma mulher, com forte senso de justiça, que vem para acalmar uma disputa.

Para um homem, significa que contrairá casamento com uma mulher muito batalhadora.

PAJEM DE ESPADAS

O Arcano do Pajem de Espadas nos mostra um rapaz muito violento, com fisionomia de briga, empunhando uma espada.

Este arcano é simbolizado por Zacarias, jovem tempestuoso que reinou sobre Israel.

Seu reinado foi simbolizado pelo pavor; havia intrigas em todos os setores e parece que tudo fazia por se fazer violento.

Este arcano vem nos dizer que somos nós próprios o pivô da maldade. Temos de fazer uma análise do nosso interior, a fim de ver como somos na realidade.

Indica também que intrigas, mexericos e calúnias serão feitas contra nós.

Geralmente, tudo o que estão tramando contra nós, está ainda em seu princípio.

Quando este arcano aparece num jogo ele tem a nos dizer o seguinte: Cuidado com falatórios que estão fazendo contra você.

Em seu setor de trabalho alguém tenta tomar seu lugar.

Você terá de usar de sua energia para superar um mal-entendido.

Falatórios quanto ao seu relacionamento amoroso.

CAVALEIRO DE ESPADAS

O Arcano do Cavaleiro de Espadas nos mostra um cavaleiro montado em seu cavalo e tendo em uma de suas mãos uma espada. Seu semblante é de luta e vingança.

Este arcano é simbolizado por Salum, que reinou em Samária por um mês. Foi um rei tirano e conspirador, agindo sem piedade com seus algozes.

Este arcano vem nos dizer que muita ação está em nosso caminho, devemos ter todo o cuidado, pois nossos inimigos deverão aparecer a qualquer momento.

É um arcano de mudança e ação, indicando que a estagnação que existia em nossa vida chegou a seu final.

Indica também que algum perigo está por chegar.

Quando o Arcano do Cavaleiro de Espadas surge num jogo ele tem a nos dizer o seguinte: Acautele-se, pois inimigos o espreitam.

Pressagia também que diversos fatores de sua vida não estão indo bem.

Para uma mulher, indica que um jovem impetuoso está para aparecer em sua vida.

Intrigas e mal-entendidos.

UMA ESPADA

Neste momento, o homem passa a agir de forma mais violenta para resolver os seus problemas, ele passa a usar sua força física e a guerrear para poder conseguir os seus objetivos.

Em certos momentos da vida, a fúria do homem é necessária, pois às vezes temos de ser violentos para poder contornar uma situação.

Quando o arcano simbolizando Uma Espada surge num jogo ele tem a nos dizer o seguinte: Um novo conceito de batalha terá de vir a fazer parte da vida do consulente.

Pressagia que uma luta interna está acontecendo em seu ser.

A pessoa sente a necessidade de fazer uma reviravolta em sua vida.

DUAS ESPADAS

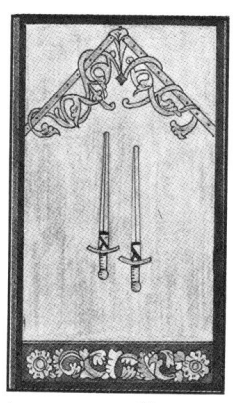

Neste momento, o homem está se sentindo esgotado pelos deveres que tem a cumprir. Sente que inimigos estão em seu caminho e começa a se armar.

Ele sente uma grande tensão e não consegue solucionar os seus problemas.

Quando o arcano simbolizado por Duas Espadas surge num jogo ele tem a nos dizer o seguinte: O consulente está sobrecarregado de problemas, necessita de ajuda.

Indica que o consulente vem sofrendo de inúmeras pressões dos que o rodeiam.

Brigas estão surgindo em sua família.

TRÊS ESPADAS

Neste momento, o homem está completamente derrotado, sente-se infeliz e abandonado pelos demais.

Sua vida parece não ter mais significado, todos os seus sonhos se desmoronaram, está completamente desmotivado.

Quando o arcano simbolizado pelo Três de Espadas surge num jogo ele tem a nos dizer o seguinte: O consulente foi vítima de intrigas, está  cercado de pessoas más, que só desejam a sua derrota.

Pressagia também sérios problemas com a Justiça.

Haverá a perda de um processo judicial.

Cuidado em andar por locais isolados.

QUATRO ESPADAS

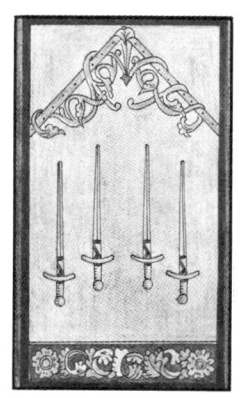

Neste momento, o homem tem de tomar uma decisão importante em sua vida. Vários caminhos se cruzam a sua frente, ele está completamente confuso quanto ao que fazer.

Pede-se que o mesmo procure orientações de pessoas com mais experiência, para que as mesmas possam instruí-lo, quanto ao seu futuro.

Quando o arcano simbolizado por Quatro Espadas surge num jogo ele tem a nos dizer o seguinte: É aconselhável que o consulente tente um afastamento, para refletir sobre seus problemas.

A pessoa sofreu um grande desgosto e tenta se isolar do mundo.

CINCO ESPADAS

Neste momento, o homem deve aprender a não ser tão orgulhoso e reconhecer alguns de seus erros no passado.

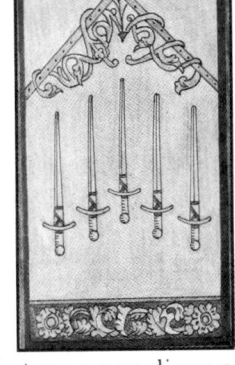

Sente ele impotência para vencer certos problemas que se colocaram em seu caminho e é aconselhável procurar uma boa orientação para achar uma solução satisfatória.

Quando o arcano simbolizado por Cinco Espadas surgir num jogo ele tem a nos dizer o seguinte: O consulente terá de analisar bem o que vier a fazer.

Pressagia que haverá perda e enganos.

Amigos falsos se colocam em seu caminho.

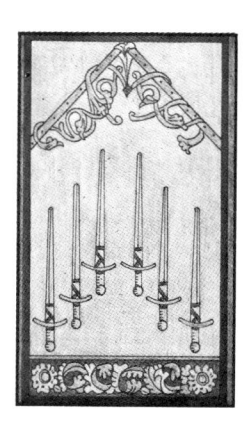

Neste momento, o homem, de agora em diante, sente que a calma chegou em sua vida. Existe uma certa nostalgia em seu proceder.

Ele procurará encontrar a paz em outras localidades.

Quando o arcano simbolizado por Seis Espadas aparece num jogo ele tem a nos dizer o seguinte: O consulente já consegue raciocinar com mais clareza. Ele procurará fugir de qualquer preocupação.

Pressagia também que alguma coisa envolvida com a Justiça poderá agora ser solucionada.

Virá ele a fazer uma longa viagem, que será muito benéfica.

SETE ESPADAS

Neste momento, o homem corre o máximo perigo, todo cuidado é pouco.

Todos os imprevistos podem vir a acontecer a partir deste momento. Perda de empregos e de algo já conquistado.

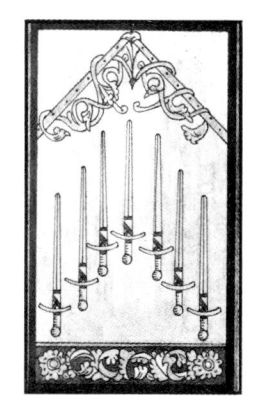

Quando o arcano simbolizado por Sete Espadas aparece num jogo ele tem a nos dizer o seguinte: Deverá tomar o máximo cuidado no que vier a empreender, pois tudo pode dar errado.

Pressagia também perigo de se envolver em alguma briga ou discussão.

Deverá dar um adiamento em todos os seus empreendimentos, pois este não é o momento certo.

OITO ESPADAS

Neste momento, o homem será colocado diante de um problema, para tentar solucioná-lo.

Existem momentos na vida em que tentamos nos afastar de nossos compromissos, mas este não é o momento certo para assim agirmos.

Quando o arcano simbolizado por Oito Espadas surge num jogo ele tem a nos dizer o seguinte: Sugere que o consulente terá de ser mais enérgico e enfrentar mais de frente os problemas que estão acontecendo.

Pressagia também que, para evitar a dúvida, deveria ele consultar um advogado para lhe esclarecer certos fatos.

Perda de um processo, desgostos e ansiedade.

NOVE ESPADAS

Neste momento, o homem está completamente desorientado da vida, tenta encontrar alguma solução, mas as dúvidas o atormentam.

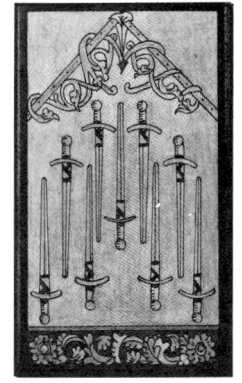

Não deve ele se atemorizar tanto com seus pensamentos, deve procurar encará-los de frente e verá que a solução virá de modo acertado.

Quando o arcano simbolizado por Nove Espadas surge num jogo ele tem a nos dizer o seguinte: O consulente está muito confuso, aceita por demais o que os outros falam.

Pressagia também que terá ele muitos desgostos e terá de travar certas inimizades.

É necessário prudência e discrição para vencer os obstáculos.

DEZ ESPADAS

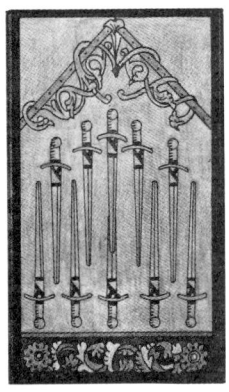

Neste momento, o homem conseguirá finalmente vencer a todos os seus problemas.

Após tanta luta e dúvida, quanto ao modo de se resolver uma contenda, finalmente, este arcano vem para solucionar todos os seus problemas.

Quando o arcano simbolizado por Dez Espadas surge num jogo ele tem a nos dizer o seguinte: Alguém virá em auxílio do consulente, solucionando algum problema de sua vida.

Pressagia também que, de agora em diante, os outros reconhecerão os seus valores e entenderão a sua luta.

REI DE OUROS

O Arcano do Rei de Ouros nos mostra um senhor sentado em seu trono e tendo em uma de suas mãos uma moeda. Sua fisionomia é de poder e contentamento.

Este arcano é simbolizado pelo rei Josias, rei de Judá. Em seu reinado foram feitas imensas conquistas, e ele chegou a tomar o reino da Babilônia, acumulando imensa fortuna.

Este arcano nos traz em sua mensagem que devemos lutar mais para conquistar nossos bens financeiros.

Ele tem a nos indicar também que uma grande soma de dinheiro poderá entrar em nossa vida.

Também pode acontecer de vir a ocupar altos cargos públicos ou ser promovido e obter altos salários.

Quando o Arcano do Rei de Ouros surge num jogo ele tem a nos dizer o seguinte: Chegou o momento de vir a fazer uso de grande fortuna, não recuse a responsabilidade em aceitar altos cargos.

Este arcano tem a nos dizer também que poderemos vir a receber uma herança, a qual não esperávamos.

Poderá encontrar um homem justo que venha a lhe oferecer um novo ramo de negócio.

Para uma mulher indica casamento com um homem muito rico.

RAINHA DE OUROS

 O Arcano da Rainha de Ouros nos mostra uma bela senhora, sentada em seu trono e tendo em uma de suas mãos uma moeda. Sua fisionomia é de poder.

Este arcano é simbolizado pela princesa filha do faraó, mulher muito poderosa, que trouxe desde os tempos do Egito muita riqueza e amor pelo poder.

Este arcano vem nos alertar sobre a maneira de enfrentarmos de frente o poder. Indica que uma senhora de grande capacidade financeira está para chegar a nós, trazendo boas notícias sobre dinheiro.

É o arcano da prosperidade, da chegada fácil dos bens materiais.

Devemos também prestar mais atenção à nossa sensualidade, temos nos deixado levar pela leviandade.

Quando o Arcano da Rainha de Ouros surge num jogo ele tem a nos dizer o seguinte: Grandes alegrias no que se refere ao dinheiro estão por acontecer.

Notícias de locais distantes referentes a dinheiro estão para chegar.

Deverá tomar mais cuidado com a aparência de seu corpo.

Para um homem, indica casamento com uma senhora muito rica.

PAJEM DE OUROS

O Arcano do Pajem de Ouros nos mostra uma pessoa bem jovem, segurando em uma de suas mãos uma moeda de ouro.

Este arcano é simbolizado por Joabe, jovem que tentou disputar com o rei Salomão e que muitas intrigas veio a causar para este, por causa do poder.

Este arcano vem nos dizer que uma grande energia está fluindo de dentro de nós.

A vontade de desfrutar de bem-estar e de acumular riqueza está começando a tomar conta de nós.

Este é um bom indício, é sinal que a ambição já começa a surgir de dentro de nós.

Passaremos, de agora em diante, a querer desempenhar mais e melhor nosso trabalho.

Tenderemos a fazer de agora em diante o melhor possível, para que passemos a acumular dinheiro.

Quando o Arcano do Pajem de Ouros surge num jogo ele tem a nos dizer o seguinte: A fortuna ainda não chegou, mas já temos idéias e projetos para iniciar um novo ramo de negócio.

A partir deste momento, tudo tende a tomar novos rumos em nossa vida. Nossa situação financeira tomará um novo impulso.

Há chances de vir a ganhar em jogos.

CAVALEIRO DE OUROS

O Arcano do Cavaleiro de Ouros nos mostra um jovem, feliz e radiante, exibindo em uma de suas mãos uma moeda de ouro.

Este arcano é simbolizado por Adonias, um jovem temperamental, que se indispôs com o rei Salomão, motivado pelo poder.

Este arcano vem nos dizer que: É chegado o momento da pessoa encarar com mais seriedade a sua vida. Você não se está valorizando como deveria.

É a imagem daquela força que brota de dentro de nós, mas que ainda não temos uma perfeita definição de como direcioná-la.

Notícias chegam ao nosso conhecimento, mas ainda tudo é indefinido.

Quando o Arcano do Cavaleiro de Ouros aparece num jogo ele indica que: Começamos a desenvolver dentro de nós a ânsia pelo poder.

Pressagia também que poderá aparecer na vida da consulente um rapaz, com propósitos de negócios lucrativos.

Para uma mulher, indica casamento com um rapaz de boa situação financeira.

UMA MOEDA

Neste momento, o homem, em busca do ouro, encontra-o na forma de uma moeda, da qual ele virá a fazer uso para suas transações comerciais.

De posse desse bem, ele agora terá poder para vir a realizar alguns de seus anseios de ordem material.

Quando o arcano simbolizado por Uma Moeda surge num jogo ele tem a nos dizer o seguinte: O consulente está pensando em fazer uma mudança em sua vida, procurar algum emprego em que venha a ganhar mais.

Pressagia que por enquanto tudo é ainda só esperanças, mas algo dentro de si o impele para a frente com ambição pela vida.

Felicidade, alegria e contentamento perfeitos.

DUAS MOEDAS

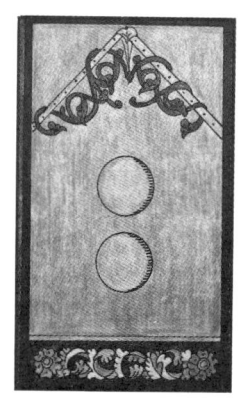

Neste momento, o homem com ambições materiais, ainda não concretizou suas idéias e projetos, mas já dispõe de alguns conhecimentos, que o ajudarão a alcançar seus objetivos.

É necessário que aprenda a assumir responsabilidades, pois o futuro promete ser bem promissor.

Quando o arcano simbolizado por Duas Moedas surge num jogo ele tem a nos dizer o seguinte: O consulente já está com alguma idéia formada de como montar um negócio.

Pressagia também que existe o perigo de seu dinheiro vir a ser disputado por alguém de sua família, como empréstimo ou outra ajuda.

Alguns obstáculos em seus empreendimentos.

TRÊS MOEDAS

Neste momento, o homem começa a desfrutar de certo contentamento por ver que algum empreendimento seu começa agora a surtir bons resultados.

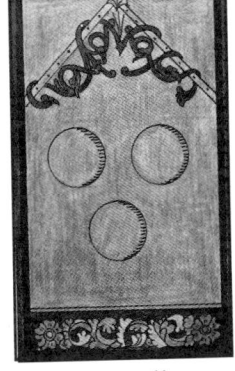

Deve saborear os primeiros frutos de seu trabalho, mas pense um pouco mais em como aplicar o seu dinheiro.

Quando o arcano simbolizado por Três Moedas surge num jogo ele tem a nos dizer o seguinte: O consulente está experimentando um pequeno sucesso em seu setor de trabalho.

Pressagia também que está por acontecer o nascimento de uma nova empresa.

Deverá tomar o cuidado para não se dispersar em seus projetos.

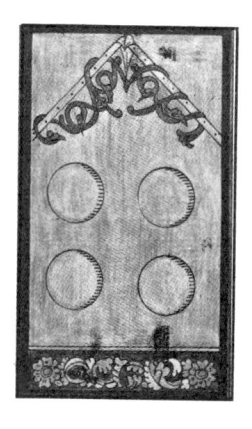

Neste momento, o homem passa a agir com egoísmo. Não pensa em repartir com os outros seus bens materiais.

Denota também que o homem age com ciúme dos demais, temendo que alguém venha a fazer o mesmo ramo de negócio seu e tenha mais lucro.

Pressagia que haverá o recebimento de certa riqueza.

Perigo de perda, por não saber como aplicar seu dinheiro.

A fortuna está equilibrada.

Quando o arcano simbolizado por Quatro Moedas surge num jogo ele tem a indicar: O consulente deve aprender a evitar a ganância.

CINCO MOEDAS

Neste momento, o homem corre o risco iminente de vir a perder tudo o que acumulou, é o pior período de sua situação financeira.

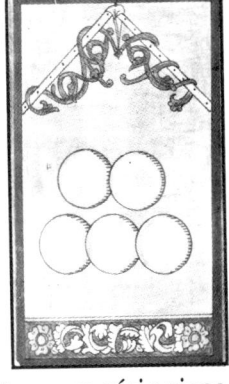

Indica também que a pessoa nem acredita em sua capacidade profissional, está em completa desarmonia com a vida.

Quando o arcano simbolizado por Cinco Moedas surge num jogo ele tem a nos dizer o seguinte: O consulente corre sério risco de vir a perder tudo que ganhou em sua vida.

É o pior momento para o seu dinheiro, perigo de roubo.

Poderá ser vítima de algum processo judicial, movido por algum empregado seu, que lhe trará um grande prejuízo.

SEIS MOEDAS

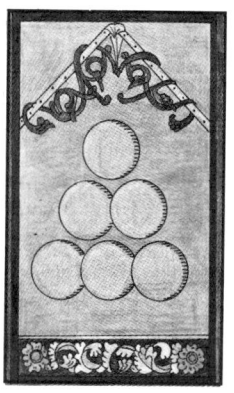

Neste momento, o homem reflete a renovação de fé em sua vida, terá agora motivos para sentir-se feliz, pois uma recompensa irá surgir para ele.

Quando o arcano simbolizado por Seis Moedas surge num jogo ele tem a nos dizer o seguinte: O consulente receberá uma proposta de melhor emprego.

Pressagia também que pessoas bem-intencionadas tentarão se associar a ele.

Idéias inspiradoras estão por acontecer.

Deve aprender a confiar em quem tem mais experiência que você.

SETE MOEDAS

Neste momento, o homem trabalhou e se empenhou muito para atingir o lugar em que hoje está.

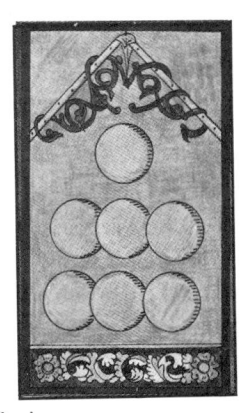

Agora poderá vir alguém lhe sugerir um novo ramo de negócio, algo que provavelmente tem tudo para superar o que já empreendeu.

Quando o arcano simbolizado por Sete Moedas surge num jogo ele tem a nos dizer o seguinte: O consulente receberá boas notícias sobre dinheiro.

Pressagia também que o consulente receberá uma boa proposta de emprego.

Haverá muita especulação financeira.

OITO MOEDAS

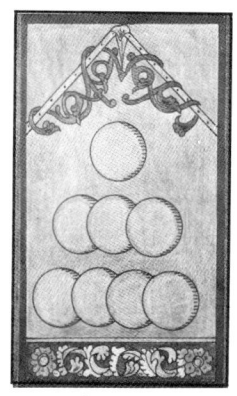

Neste momento, o homem, já cansado de sua atual situação profissional, tenta algo de novo e se dá muito bem.

Está ele completamente realizado nos seus novos afazeres, encontrando nova motivação para a vida.

Quando o arcano simbolizado por Oito Moedas surge num jogo ele tem a nos dizer o seguinte: O consulente deverá conseguir um novo emprego.

Pressagia também que novas oportunidades profissionais estão para surgir.

Deverás procurar fazer um curso de aperfeiçoamento profissional.

NOVE MOEDAS

Neste momento, o homem retrata um estado de grande satisfação.

O perigo agora faz parte do passado e o trabalhador tem o direito de se sentir satisfeito pelo que conseguiu.

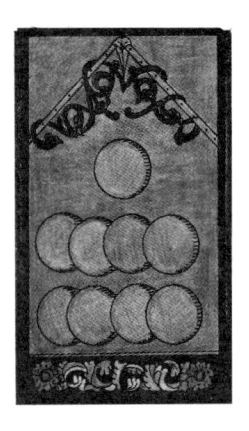

Quando o arcano simbolizado por Nove Moedas surge num jogo ele tem a nos dizer o seguinte: O consulente sente-se feliz pelo que já empreendeu no setor profissional.

Pressagia que o consulente poderá vir a receber dinheiro proveniente de uma herança.

O dinheiro foi conseguido pelo trabalho.

DEZ MOEDAS

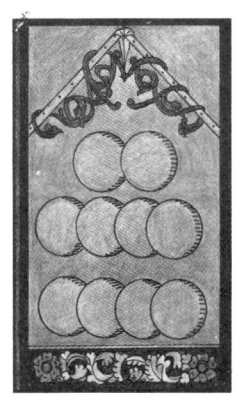

Neste momento, o homem está completamente realizado na vida, sente-se feliz por ter conseguido uma boa fortuna.

Ele não apenas acumulou fortuna e poder, como também passou seus ensinamentos a outras pessoas.

Quando o arcano simbolizado por Dez Moedas surge num jogo ele tem a nos dizer o seguinte: O consulente é uma pessoa completamente realizada na vida.

Pressagia que o consulente não tem a menor dificuldade com problemas financeiros.

Haverá ganhos fabulosos, bens imóveis, grande satisfação financeira.

Terá êxito na aquisição de terras.

COMO DEVEMOS PROCEDER NAS COMBINAÇÕES DO TARÔ BÍBLICO

Ler o Tarô Bíblico é algo maravilhoso e as combinações de suas cartas é que vão elucidar certos fatos que estão por acontecer.

Dentro do Tarô existem muitas formas de se fazer as combinações de suas cartas. Muitos os fazem de forma quase disforme, outros se baseiam em forma de signos.

Para se proceder à leitura na seqüência, a carta que vem após a primeira deve-se proceder do seguinte modo:

Rei de Copas e Três Copas

Um homem muito bom e amoroso aparecerá em sua vida e a pedirá em casamento;

Rainha de Copas e Seis Bastões

Uma senhora muito amorosa chegará em sua vida e o elevará em seus projetos;

Pajem de Copas e Seis Copas

Um novo amor está para aparecer em sua vida;

Cavaleiro de Copas e os Enamorados

Um rapaz aparecerá em sua vida e trará muitas dúvidas quanto ao seu casamento;

Uma Copa e o Eremita

É um aviso para que tome mais cuidado com seu relacionamento amoroso;

Duas Copas e a Lua

Pessoas invejosas tudo farão por acabar com o seu relacionamento amoroso;

Três Copas e Nove Espadas
Está muito perturbada com este relacionamento amoroso. Dúvidas;

Quatro Copas e o Diabo
Deve ouvir o conselho de pessoas mais velhas, quanto ao seu relacionamento amoroso. Algum perigo;

Cinco Copas e Seis Bastões
Seu amor partiu em busca de um ideal na vida;

Seis Copas e Uma Moeda
Seu amor não virá tão cedo, ele almeja no momento apenas bens financeiros;

Sete Copas e o Imperador
Prenúncio de vir a conhecer um senhor de alto gabarito e de casar-se com ele;

Oito Copas e Duas Espadas
Seu relacionamento amoroso acabou para sempre, se tentares o retorno haverá muitas brigas;

Nove Copas e Oito Bastões
Um encontro amoroso está previsto em sua vida, será alguém que virá de longe e muito boa pessoa;

Dez Copas e a Imperatriz
Fará um ótimo casamento e será feliz para sempre. Nascimento de filhos maravilhosos;

Rei do Bastão e Três Moedas
Um senhor muito inteligente e de boa posição aparecerá em sua vida e lhe fará uma oferta de trabalho;

Rainha do Bastão e a Justiça
Uma senhora muito sensata virá em seu auxílio para resolver uma questão judicial;

Pajem do Bastão e o Sol
Um novo ideal está começando a brotar de dentro de si. Algo que lhe trará muito sucesso;

Cavaleiro do Bastão e o Mago
Desejos intensos de aventura começam a nascer de dentro de si, muita confiança quanto ao futuro;

Um Bastão e Uma Copa
Começa a sentir algo de diferente com um novo relacionamento amoroso;

Dois Bastões e uma Moeda
Desejos intensos de mudar de emprego. Deve procurar outra atividade mais rendosa;

Três Bastões e a Temperança
És uma pessoa de muita confiança em si própria;

Quatro Bastões e Seis Moedas
Será reconhecido por todos. Teus projetos começam a dar lucros. Receberá uma oferta de trabalho;

Cinco Bastões e Três Espadas
Pessoas inescrupulosas se colocarão em seu caminho.
Cuidado com colega de trabalho;

Seis Bastões e Sete Copas
Após muito procurar, finalmente aparecerá o amor em sua vida;

Sete Bastões e a Torre
Pressagia ruínas e catástrofe em todos os seus projetos;

Oito Bastões e o Enforcado
Seria aconselhável que deixasse de lado esse seu projeto;

Nove Bastões e Oito Moedas
Muitos atropelos em seus projetos.
Desejos intensos de ganhar dinheiro.
Avareza;

Dez Bastões e o Papa
Devido ao excesso de trabalho está esgotado.
Deve procurar um médico, para ver sua saúde;

Rei de Espadas e Rainha do Bastão
Encontrará em sua vida uma senhora com muito entusiasmo, que lhe proporá um novo ramo de trabalho;

Rainha de Espada e Oito Copas
Existe uma mulher na vida da pessoa que está atrapalhando o seu casamento;

Pajem de Espada e Sete Bastões
Alguém virá atrapalhar seu projeto.
Disputas por causa de poder;

Cavaleiro de Espadas e a Morte
Algum incidente acontecerá em seu trabalho, que o fará tomar novo rumo;

Uma Espada e Uma Moeda
Terá de enfrentar uma pessoa na disputa de dinheiro ou algum outro bem;

Duas Espadas e o Carro
Será impelido a tomar um novo direcionamento em sua vida;

Três Espadas e o Julgamento
Terá de prestar contas de algum ato seu.
Indica disputas;

Quatro Espadas e a Força
Está passando por um sério problema na vida, mas alguém virá em sua ajuda;

Cinco Espadas e Sete Moedas
Está sendo chamado a se levantar e prosseguir em sua vida.

Alguém virá em sua ajuda e lhe oferecerá uma oferta de trabalho;

Seis Espadas e Três Copas
Deve procurar fazer uma viagem, na qual terá a chance de vir a conhecer um grande amor;

Sete Espadas e Cinco Moedas
Significa grandes perdas.
Deve procurar se isolar de momento;

Oito Espadas e Uma Copa
Brigas em família.
Deve procurar novas amizades.
Um novo amor está por nascer;

Nove Espadas e a Sacerdotisa
Está muito perturbado por injustiças que fizeram contra ti.

Deve procurar uma senhora de sensibilidade, que o ajudará;

Dez Espadas e Dez Copas
Em seu relacionamento amoroso houve muitas brigas.

Para o futuro existe a chance de vir a fazer um bom casamento;

Rei de Ouros e Um Bastão
Um senhor de boa posição financeira aparecerá em sua vida e o ajudará num novo ideal;

Rainha de Ouros de Três Copas
Surgirá em sua vida uma senhora bem posicionada que se interessará por você;

Pajem de Ouros e Nove Bastões
Após alguns tropeços, seus negócios começarão a prosperar;

Cavaleiro de Ouros e o Louco
Alguém surgirá em sua vida e lhe indicará um novo rumo.
Deve seguir o que lhe for indicado;

Uma Moeda e Uma Espada
Deve tomar cuidado com suas economias.
Alguém está fazendo intrigas contra você;

Duas Moedas e a Torre
Perigo de roubo.
Cuidado ao andar por locais isolados;

Três Moedas e Seis Bastões
Terá promoção no local de trabalho.
Seus méritos serão reconhecidos;

Quatro Moedas e os Enamorados
Deve ponderar bem o que fazer com suas economias.
Perigo por não saber aplicar seu dinheiro;

Cinco Moedas e o Enforcado
Deve doar seu dinheiro para um parente que está necessitando.
Perigo de doenças em família;

Seis Moedas e o Papa
Um senhor muito bom tentará ajudá-lo.
Autoconhecimentos;

Sete Moedas e Pajem do Bastão
Você tentará algo de novo em sua vida profissional.
Um novo emprego lhe seria aconselhável;

Oito Moedas e Rainha do Bastão
Será convidado por uma bela mulher para empreender um novo negócio.
Situação financeira tende a melhorar;

Nove Moedas e a Força
Boas novidades pode esperar sobre dinheiro.
Sua vida financeira terá um novo impulso;

Dez Moedas e o Mundo
Tudo de bom está previsto.
Contentamento pleno em sua vida.
O dinheiro nunca lhe faltará;

O Mago e a Força
Sua vida tomará um novo impulso.
Desejos intensos de aventuras;

A Sacerdotisa e o Julgamento
Será recompensado pelo que tem feito.
Uma senhora muito bondosa virá trazer-lhe uma boa notícia;

A Imperatriz e a Justiça
Sairá vencedor de uma demanda judicial.
Seus negócios começam a prosperar;

O Imperador e o Carro
Progresso em todos os setores de sua vida.
Um homem aparecerá em sua vida e dará um novo impulso em seus projetos;

O Papa e os Enamorados
O consulente está desorientado quanto a seguir um novo caminho.
Uma pessoa aparecerá ante você e lhe dará bons conselhos;

Os Enamorados e o Diabo

Deverá tomar cuidado com seu relacionamento amoroso.

Perigo de vir a se envolver numa grande paixão amorosa;

O Carro e a Torre

A pessoa terá de enfrentar uma certa agressividade em sua vida.

Perigo de ruína em seus projetos.

Deverá seguir apenas um caminho;

A Justiça e o Enforcado

O consulente se verá envolvido numa demanda judicial.

Necessidade de se fazer um sacrifício por alguém que você muito ama;

O Eremita e a Morte

Deverá agir com a máxima cautela.

Indica que haverá mudanças em seus negócios;

Roda da Fortuna e a Lua

Indica que o consulente poderá ter sucesso em sua vida, desde que deixe de apenas sonhar.

Indica, também, alguns inimigos;

A Força e a Temperança

Seus projetos terão um novo impulso.

Tudo tende a se equilibrar em sua vida;

O Enforcado e o Papa

O consulente terá de abdicar de algo em favor de alguém.

Uma pessoa muito importante lhe dará bons conselhos em como resolver uma situação;

A Morte e o Sol
Algo deve terminar em sua vida, em compensação, alguma coisa nova vai acontecer e será algo grandioso;

A Temperança e o Louco
Você está lutando para equilibrar certos desafios em seu coração.
Terá de agir com muita calma para desenfrear seus impulsos;

O Diabo e o Imperador
Uma paixão cega começa a nascer em sua vida.
Um senhor aparecerá em sua vida e a transformará totalmente;

A Torre e a Lua
Significa quedas e ruínas em todos os setores.
Sua mente está por demais angustiada;

A Estrela e o Sol
Pressagia esperanças de coisas muito boas.
Será um momento de clareza e de confiança;

A Lua e o Mundo
Após um período de confusão, tudo tende a melhorar para o bem.
Indícios de coisas maravilhosas por acontecer;

O Sol e o Mago
Neste momento uma luz brilha em seu caminho.
Novos pontos de partida para você;

O Julgamento e a Roda da Fortuna
Será recompensado pelo que tem feito.
Uma mudança completa em sua vida, lhe trazendo muito bem-estar;

O Louco e o Eremita
Algo de novo acontecerá em sua vida.
Deve aprender a refrear seus impulsos.
De momento deve ficar no isolamento;

O Mundo e a Imperatriz
É um período de realizações gerais.
Encontrarás uma bela mulher que lhe dará total apoio em todos os setores de sua vida;

ALGUNS EXEMPLOS DE JOGOS

JOGO SEGUINDO AS LINHAS DA ESTRELA DE DAVI

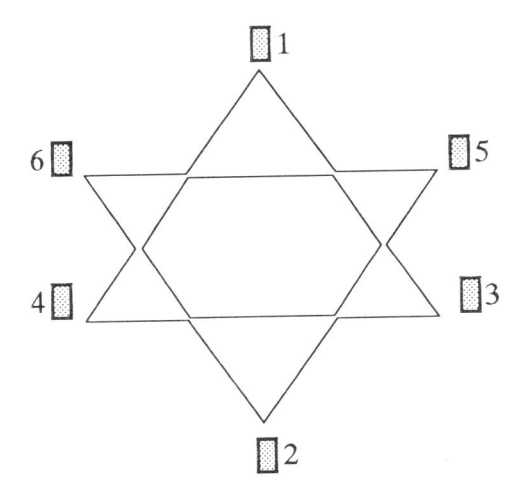

Usamos este exemplo para ilustrar a leitura das cartas para uma jovem que consultou o Tarô para saber de seus problemas com relação ao seu trabalho e casamento.

Neste jogo devemos dispor as cartas como na forma acima, e passaremos a analisar as mesmas como segue:

Carta nº 1 — Aquilo que se passa na mente da pessoa.

Digamos que saiu o Oito Copas:

Isto indica que a consulente está em completa confusão mental. Indica que ela teve sérias brigas com seu parceiro e agora não sabe como fazer a reconciliação.

Carta n° 2 — O que deve ser seguido pela pessoa.

Digamos que saiu a carta do Sol.

Simboliza o desejo da consulente pela realização de sua própria vida. O Sol expressa algo muito importante: esperança e otimismo. Uma luz irá brilhar em seu caminho.

Carta n° 3 — Influência do passado.

Digamos que saiu a carta de Nove Moedas. Simboliza que a consulente está muito apegada a coisas materiais. A consulente deve deixar de pensar tanto no dinheiro e procurar se preocupar com coisas mais elevadas.

Carta n° 4 — Influência no futuro.

Digamos que saiu a carta de Nove Copas.

Simboliza que a consulente irá encontrar um rapaz muito bom e que este virá a ser seu futuro marido, fazendo com que ela esqueça as frustrações do passado.

Carta n° 5 — Esperanças.

Digamos que saiu a carta da Força.

Simboliza que a consulente deve ter esperanças, pois tudo de bom está previsto em sua vida. Concretização de velhos sonhos.

Carta n° 6 — Resultado final.

Digamos que saiu a carta do Imperador.

Simboliza que a consulente realmente virá a se casar com este jovem que virá e conhecer a este será o começo de uma nova vida para ela.

Casamento repleto de felicidades.

OUTRO MÉTODO DE LEITURA DE CARTA

Após embaralhar bem as cartas, pede-se à consulente que corte em cinco montes. Pega-se a primeira carta de cada monte e passa-se a analisar do seguinte modo:

Ex. — **Carta nº 1** — Representa o passado.
Digamos que saiu a carta de Cinco Copas.
Significa que a consulente teve um rompimento em seu relacionamento amoroso.

Carta nº 2 — Representa o presente.
Digamos que saiu a carta de Quatro Copas.
Significa que a consulente está sendo vítima de sérias intrigas por pessoas invejosas.

Carta nº 3 — Representa o futuro.
Digamos que saiu a carta do Carro.
Significa que a consulente, apesar das circunstâncias serem desfavoráveis, terá um feliz casamento com a pessoa a quem ama.

Carta nº 4 — Representa o seu consciente.
Digamos que saiu a carta da Lua.
Significa que a consulente vive num mundo de fantasias e muitas vezes é influenciada pelos demais.

Carta nº 5 — Representa o seu inconsciente.
Digamos que saiu a carta do Mundo.
Significa que, a despeito dos vários insucessos em sua vida, a consulente pode esperar o melhor para si, pois todas as chances lhe serão oferecidas. Proteção total.